imersão

UM ROMANCE TERAPÊUTICO

Diogo Lara

Rio de Ja[illegible], 2022

Diretora editorial	*Raquel Cozer*
Gerente editorial	*Renata Sturm*
Editora	*Diana Szylit*
Copidesque	*Claudia Cantarin*
Revisão	*Renata Lopes Del Nero e Thais Rimkus*
Projeto gráfico de capa	*Rafael Brum*
Projeto gráfico de miolo	*Sonia Peticov*
Diagramação	*Sonia Peticov*

CIP—BRASIL. CATALOGAÇÃO NA FONTE
SINDICATO NACIONAL DOS EDITORES DE LIVROS, RJ

L325i
Lara, Diogo
Imersão: um romance terapêutico / Diogo Lara. — 1. ed. — Rio de Janeiro : Harper Collins, 2018.
256 p.

ISBN 978-85-9508-3080

1. Psicologia — Ficção. 2. Ficção brasileira. I. Título.

18-48960 CDD: 869.3
CDU: 821.134.3(81)-3

Rua da Quitanda, 86, sala 218 — Centro
Rio de Janeiro, RJ — CEP 20091-005
Tel.: (21) 3175-1030
www.harpercollins.com.br

Para Rossana e Violeta

chegada

ELA JUROU QUE SERIA sua última tentativa antes de desistir dos relacionamentos. Estava abrindo mão de suas tradicionais férias na praia para fazer uma espécie de retiro terapêutico no fim do mundo. Pelo menos foi essa sua impressão ao chegar a Inverness, no norte da Escócia. Agora era torcer para que a mala apontasse na esteira.

A única coisa que queria era uma cama fofa. Corria um vento frio e úmido lá fora: três graus centígrados era o que se via no monitor. Sentiu-se tão acolhida pelo peso da lã em seu corpo — um aconchego que se valoriza quando você se vê sozinha pela primeira vez em terra estranha — que nem se incomodou com o cheiro de guardado do casaco. Não era a única apreensiva. A mulher a seu lado não parava de digitar no celular, e o rapaz em que havia reparado ao entrar no avião estava de braços cruzados, olhando para a esteira vazia. Restavam os três, mas a esteira estava rolando. Ainda havia esperança.

Nada de celular, pensou. Estava tentando se preparar para os próximos dias. As instruções foram claras: celular, tablet e computador apenas quando autorizados pelo coordenador do seminário. Se ela conseguisse isso, já seria uma vitória. Melhor nem olhar para aquela mulher desaguando suas angústias em mensagens de texto. O rapaz olhou para ela e levantou as sobrancelhas em sinal de cumplicidade. Seu inglês estava enferrujado e não a deixava à vontade para puxar conversa, mas ela retribuiu com um sorriso meio sem jeito. Ele tinha um porte confiante e não aparentava ser escocês, porém ela não conhecia nenhum pessoalmente.

Assustou-se com o grito da mulher ao ver sua mala despontar na esteira. Logo atrás, reconheceu a faixa laranja que marcava a sua e respirou aliviada. Havia feito um esforço e tanto para colocar tudo de que precisava em um só volume de vinte e três quilos. Era um peso que dava para ela carregar e já não podia mais contar com seu marido para isso desde o verão passado. Ao se aproximar de sua mala, o rapaz se antecipou e a retirou da esteira com um "*let me help you*". Tudo o que ela conseguiu dizer foi um "*thank you*" tímido num grunhido. Pôs a mão na alça e seguiu para o saguão arrastando a mala.

O aeroporto era pequeno, mas simpático, com fileiras de cadeiras estofadas em tecido azul e lojinhas com produtos coloridos que avançavam pelo corredor. Um senhor alto com boné quadriculado segurava um cartaz com o nome "Amanda Campos".

— Amanda?

— *Yes!*

— Bem-vinda ao nosso seminário. É um prazer recebê-la. Eu sou Mike. Fez boa viagem?

Ela ficou surpresa com o fato de ele falar português em vez de inglês.

— Sim, mas foi bastante longa.

— Falta só o Fernando — disse, apontando para o segundo nome no cartaz. — Deve ser ele vindo ali.

Enquanto o rapaz da esteira vinha em sua direção, Amanda tentava disfarçar seu constrangimento.

— Fernando, bem-vindo à Escócia. Sou Mike.

— Obrigado, Mike — respondeu, apertando sua mão. — Amanda?

— Sou eu. Bem que achei que você não tinha cara de britânico.

— Vamos até o carro pra seguirmos ao castelo? — disse o motorista, pegando a mala.

A tarde nublada foi o assunto até o carro, um antigo Jaguar marrom-escuro com banco de couro amarelado e painel com detalhes em madeira. Mike guardou as malas enquanto Fernando abria a porta de trás para Amanda, que se apressou em entrar para escapar do frio.

— Ops, errei de lado — disse Fernando ao abrir a porta da frente para entrar.

— É normal, eu também sempre estranho quando venho pra cá — falou Mike. — Pelo menos não preciso trocar de marcha com a mão esquerda. O carro é automático.

— Você é brasileiro, certo? — perguntou Amanda.

— Sim, sim. Estou aqui só para o seminário. Daqui a uma hora estaremos em Dornoch, e vocês vão poder descansar — respondeu, sem dar corda à conversa.

Saíram costeando o lago cor de chumbo. Amanda levou alguns minutos até parar de se preocupar com os carros que cruzavam à sua direita. A estrada era estreita, com paisagens de um verde desgastado pelo frio, lagos, pontes e pequenos morros ao longe. Eram pouco mais de quatro da tarde, e o sol já estava se pondo.

— É por aqui que fica o lago Ness? — perguntou Fernando, tentando quebrar o silêncio.

— É ao sul de Inverness. Nós estamos indo para o norte — respondeu Mike.

— Ainda bem que estamos nos afastando do monstro do lago — disse Amanda.

— Desse monstro, sim — disse Mike.

— Há outros? — perguntou Fernando.

— É o que vamos descobrir.

Amanda achou estranho o comentário, mas tinha uma leve ideia dos monstros de que ele estava falando. Pelo menos para alguma coisa serviu fazer um ano de terapia toda semana. Aliás, duas vezes por semana durante alguns meses após o rompimento com Carlos.

As poucas tentativas de conhecer alguém para substituí-lo seguiram os rumos já conhecidos. Uma aventura com o cara do bar que nunca mais ligou depois de transarem. O infeliz que era apaixonado por ela desde a adolescência e a reencontrou por uma rede social, mas não passou do primeiro jantar. Era enfadonho demais e não parou de elogiá-la um minuto. Amanda usou o convincente motivo de que ainda não era a hora de ter um novo relacionamento e aproveitou para falar mal dos homens em geral para apavorá-lo. Funcionou. E algumas tentativas frustradas de conhecer gente interessante por meio de aplicativos, estimulada pela leitura de alguns romances picantes recomendados pelas amigas. Tudo só reforçava que não estava mesmo pronta para amar novamente, se é que esteve em algum momento na vida.

Mike dirigia absorto na estrada, mas Fernando estava inquieto.

— Como você ficou sabendo do seminário, Amanda?

— Uma amiga, a Cris, me indicou. E você?

— Foi algo parecido, mas o empurrão veio da minha mulher. Ela achou que seria bom pra mim.

— Você fez o teste do site?

— Sim, em setembro. Ainda havia duas vagas pra essa turma de janeiro. Só não entendi bem o resultado.

— E sua mulher?

— Na praia com as crianças... Tenho um casal de gêmeos. Você tem filhos?

— Não. Na verdade, não ficou claro pra mim o que eu precisava trabalhar na minha personalidade. Também me deram a opção de uma turma na Índia, mas não me senti pronta ainda pra ir à Índia sozinha.

— E aqui tem o uísque. Se o seminário não for grande coisa, pelo menos um puro malte vai cair bem com esse frio.

Mike pegou uma estradinha lateral à esquerda e alguns metros adiante estacionou à frente de um pequeno castelo em estilo vitoriano com três andares, contando o sótão junto ao telhado. As duas torres arredondadas se destacavam com suas cúpulas em cone, e as paredes de pedra tinham um tom terroso com pequenas janelas brancas no topo, além de janelões voltados para o jardim.

— Este é o Castelo de Evelix. O jantar é às sete e meia, portanto, vocês têm duas horas pra descansar. O David vai acompanhar vocês até os quartos.

David era um jovem magro e sorridente, com um inglês difícil de entender, mas não havia dúvidas do que fazer numa hora dessas. Bastava segui-lo dizendo "*oh, I see*" ou "*nice*" de vez em quando, até o inglês desenferrujar. Entraram pelo hall com paredes de madeira, cortinas verdes e sofás vermelhos. O chão rangia um pouco e o cheiro úmido lembrava carvalho. Subiram as escadas em caracol atrás de David, que tentava não demonstrar o esforço ao carregar a mala de Amanda. Ele abriu a porta do quarto e pediu para Fernando esperar um minuto no corredor, sinalizando para ela entrar. Era aconchegante, com uma grande cama de madeira encostada na parede de pedras irregulares. A cortina de veludo escondia parcialmente a janela branca. Como tinha rinite, o carpete azulado não a agradou. O banheiro estava quentinho pela calefação, era espaçoso e não tinha chuveiro, somente uma antiga banheira branca que contrastava com os azulejos pretos. Ligou a água quente antes mesmo de agradecer a David e se esqueceu de se despedir de Fernando.

Seus trinta e sete anos, depois de trinta e duas horas de viagem, pediam um descanso. Jogou sua roupa com o cheiro do corpo no chão, soltou o cabelo castanho, experimentou a temperatura da água e entrou. Como algo tão simples podia ser tão bom?! Era raro ficar alguns segundos sem pensar em nada, mas esse era um dos momentos em que se permitia apenas sentir seu peso sobre a porcelana da banheira e o limite da água acariciando seu colo e suas pernas. Conseguia ouvir o som da sua respiração e ruídos suaves vindos do bosque. Nada mal para começar. Relaxou e dormiu um sono merecido.

Havia sido uma fase de mudanças para Amanda. Estava se preparando para engravidar, abriu mão de fazer os plantões de fim de semana no hospital e tinha completado sua segunda especialização depois da residência em endocrinologia. Havia parado de tomar pílula fazia pouco tempo.

Quando recebeu a mensagem de Carlos, seu marido, confirmando o encontro no motel às quatro da tarde, chegou a ficar excitada por alguns segundos. Havia anos não pisava em um motel. O detalhe é que ela tinha atendimento no consultório até a noite, e ele sabia disso. Saiu do ar por alguns instantes, até a secretária informar que sua paciente estava à espera. Não registrou uma palavra das consultas seguintes. No caminho para casa, não conseguiu nem chorar. Ao entrar, Carlos estava assistindo à televisão.

— Sentiram minha falta no motel?

Carlos olhou atônito para ela.

— Que motel, amor?

— Hoje, às quatro da tarde. Você me convidou, lembra?

O olhar dele ficou esbugalhado, a pele ficou branca, a voz não saía direito.

— Do que você está falando?

— Quem é a cretina?

Carlos baixou os olhos e levou a mão à cabeça. Não adiantava tentar enrolar. Pegou o celular e confirmou o que suspeitava. A lambança estava feita.

— A Jaqueline, da agência de publicidade. Ela não significa nada pra mim!

— Pois pra mim significa. Você tem dez minutos pra sair daqui.

Ele se mexeu, como se fosse começar a se explicar.

— Dez minutos! — gritou ela, virando as costas.

Culpar seu ex-marido pareceu ajudar um pouco nas primeiras sessões com a terapeuta, mas ela não conseguia perdoar nem confiar mais nos homens. Não era a primeira vez. Suas amigas diziam que Amanda tinha o dedo podre, que precisava escolher melhor.

— Mas como se faz isso, tem um manual? — cobrava, sem resposta.

A terapeuta já não estava mais passando a mão na sua cabeça e começara a remexer sua infância e seus relacionamentos anteriores. É verdade que Amanda não tinha sido uma criança das mais felizes, mas sua vida funcionava. Pelo menos no papel, até aquele canalha aprontar. Tinha uma boa carreira, carro, apartamento num condomínio fechado, um marido bem empregado; só faltavam filhos para completar o pacote.

Passou a desconfiar que podia ter alguma coisa de errado com ela.

Nunca pensou que sofreria tanto com uma separação. Levara um ano tentando juntar os pedaços que nem a terapia nem os três antidepressivos que experimentou ajudaram a colar. Um deles a deixou irritada, o outro, com sono demais, e o terceiro amorteceu seus sentimentos, tanto os ruins como os bons. Apesar de a dor ter aliviado um pouco, não se sentia ela mesma. Desistiu dos remédios e resolveu tomar um rumo mais radical: partir para aquele retiro.

Acordou com a água quase fria e pulou da banheira. *Meu Deus, quase sete e meia!* Seus planos de lavar o cabelo foram substituídos, e ela o prendeu novamente. Passou um lápis preto no olho, espirrou um perfumezinho e pegou a primeira roupa da mala. Quando chegou ao hall, David indicou a sala de jantar. Ainda estavam todos de pé, conversando. Mike a recebeu:

— Amanda, que bom, só faltava você.

A mesa de oito lugares foi rapidamente ocupada, com Mike à cabeceira, para surpresa de Amanda. *Ele deve ser mais do que um simples motorista*, pensou. Cumprimentou Fernando, que se sentou a seu lado.

— Bem-vindos à Escócia. É uma alegria e uma honra recebê-los no Who am I Experience, ou Experiência Quem Sou Eu, como preferirem. A intenção é que vocês realmente passem por uma experiência profunda e transformadora de autoconhecimento. Meu nome é Mike Collins, e eu serei o facilitador de vocês no programa. Sei que estranharam meu português, mas eu vou explicar. Nasci na Califórnia, filho de mãe brasileira e pai americano. Morei vários anos no Brasil, por isso não tenho sotaque, e tenho dupla cidadania. Me formei em psicologia em Nova York e há muitos anos conduzo seminários como este. Hoje vamos nos familiarizar uns com os outros, mas deixem as apresentações para amanhã. Este castelo vem sendo usado exclusivamente pra seminários e pequenas reuniões. São apenas oito quartos, e espero que todos estejam bem instalados. Amanhã começaremos às nove em ponto. — Olhou para Amanda por um segundo. — A pontualidade deverá ser britânica, já que estamos na Escócia, não no Brasil. A comida escocesa não é tão famosa quanto o uísque... No jantar de hoje vamos ter *steak pie* com aspargos e cenouras na manteiga. A torta de carne é uma das especialidades da Emily, nossa cozinheira. *Enjoy!*

Os primeiros minutos com pessoas diferentes sempre geravam algum desconforto para Amanda. Puxou conversa com Fernando sobre as paredes de madeira e o grande lustre redondo e preto de ferro, feito originalmente para ser usado com velas. Aos poucos, observou os outros participantes no seminário. O homem de barba e cabelo grisalho escasso parecia desgastado. As três mulheres eram bem diferentes umas das outras. A negra efusiva de quarenta e tantos anos atraía os olhares de todos com seus gestos largos e sua voz forte. Parecia totalmente à vontade, o que impressionou Amanda.

Apresentou-se como Tânia e dava impressão de não precisar de seminário algum para resolver problemas emocionais. As outras duas eram bem mais jovens e magras. Enquanto a loira parecia ter saído de uma revista de moda, a morena tinha um ar de intelectual descolada. Pareciam estar se entrosando bem. Fernando também não tinha lhe dado a impressão de que precisasse de alguma coisa.

Por dentro, Amanda estava um caco, mas conseguia manter a pose diante de outras pessoas. Imaginou se percebiam sua fragilidade. No dia a dia, geralmente até conseguia forçar um sorriso bem ensaiado quando alguém tirava fotos para postar. Só desabava quando chegava em casa, onde, pelo menos, não precisava fingir.

A *steak pie* tinha uma massa crocante que desmanchava na boca, e os aspargos e as cenouras estavam *al dente*, como ela gostava. A banheira e a comida saborosa foram um começo favorável.

Sentindo-se à parte da conversa, Amanda resolveu perguntar a Mike que tipo de abordagens usaria no seminário.

— Vou usar as técnicas que considero de maior impacto. Levei um longo tempo pra descobrir alguns caminhos, mesmo sendo da área da psicologia, e espero que seja valioso pra vocês. Mas vou contar sobre elas ao longo do seminário, não se preocupe.

— Estou curiosa — respondeu ela.

— A curiosidade é bem-vinda. É verdade que também aprendi muito com meus clientes. Essa interação é muito rica se estamos abertos para a troca.

— Você quer dizer que o seminário ainda afeta você de alguma maneira?

— Claro que sim, é aí que está a graça! — respondeu Mike, com um sorriso.

Amanda se surpreendeu com a resposta. Viu nos olhos dele um entusiasmo incomum para alguém de sua idade, ainda mais se referindo a seu trabalho.

Logo após a tortinha de morangos ser servida como sobremesa, Mike encerrou a noite.

— Talvez vocês tenham alguma dificuldade com o fuso horário, mas tentem dormir o máximo que conseguirem. São nove da noite, hora de nos recolhermos. Descansem, porque vão precisar.

Ele se levantou e parou ao lado da porta. Ninguém discutiu. Amanda achou engraçado como todos se comportaram: só faltou formarem fila. Foi a última a passar por Mike, dando boa-noite. Enquanto ainda estavam todos no hall, ele fez um último comentário:

— Ah, me esqueci de mencionar. O tema principal do nosso seminário será autoestima. Boa noite!

Os olhares de todos se cruzaram por alguns segundos enquanto se encaminhavam para a escada.

DIA UM

resistência

NA PRIMEIRA NOITE, AMANDA DORMIU MAL. Não que a cama não fosse confortável, pelo contrário, e ela adorava dormir com vários travesseiros, mas, como havia descansado na banheira, não conseguiu mais relaxar. Ficou matutando sobre o tema do seminário entre cochiladas. Sempre que ouvia falar em autoestima se lembrava de autoajuda e de revistas femininas. Não acreditava que tinha pagado uma pequena fortuna e que gastaria metade de suas férias para "elevar a autoestima". Ainda por cima, com um motorista! Está bem, era preciso reconhecer que Mike a surpreendera e que assumira a posição de liderança de modo firme e sereno.

Não negava que sua autoestima estava abalada. Só não conseguia imaginar como seis dias de seminário em grupo poderiam mudar alguma coisa se sessenta horas de terapia individual não haviam proporcionado muita diferença. Até tinha piorado um pouco nesse aspecto ao recordar alguns acontecimentos da sua infância. Estava na terra de Harry Potter e hospedada em um belo castelo, mas não havia nenhum indício de mágica nem de mundos paralelos.

Levantou-se e abriu a cortina. O dia ainda estava por raiar, mas já dava para ver as árvores quase sem folhas. Algo se mexeu no galho mais próximo à sua janela. Apertou os olhos para ver melhor e recebeu de volta o olhar atento de um esquilinho de pelo acobreado com o enorme rabo empinado. Ficou parada tentando não o assustar. Não adiantou. Logo ele pulou para outro galho, depois para outra árvore e se perdeu no bosque.

Como não havia chuveiro, apenas o chuveirinho da banheira, tomou um banho desajeitado, só. Secou-se e prendeu o cabelo. Dessa vez, escolheu uma roupa casual e desceu para o café. Alguns de seus colegas já estavam lá, mas preferiu sentar-se ao lado de Mike. Contou para ele sobre o pequeno animal que avistara.

— Acabei de ver um esquilo superfofo pela janela.

— Era acinzentado ou com o pelo ruivo?

— Mais pra ruivo. É engraçado dizer que um esquilo é ruivo. Por que a pergunta, Mike?

— Esse é o esquilo nativo daqui, chamado esquilo vermelho. Infelizmente, há mais de cem anos, alguém trouxe pra cá o esquilo cinza da América do Norte, que tem ocupado cada vez mais território. Ele já tomou toda a Inglaterra, e a população dos vermelhos está confinada à Escócia e à Irlanda, com cada vez menos espaço.

— Mas eles não podem conviver no mesmo território?

— Dificilmente. O cinza come muito mais do que o vermelho e carrega um tipo de vírus que não o afeta, mas que é letal ao vermelho. E aqui não há mais predadores naturais. Por isso, o esquilo cinza é quase considerado uma praga por aqui, embora também seja bonitinho.

Amanda encolheu os ombros e suspirou. Pensar naquele animalzinho sendo dizimado provocou um aperto em seu peito. Tratou de tomar seu café.

Mike pediu para o acompanharem. Entraram em uma sala que ainda não conheciam e foram recebidos por um aroma amadeirado.

Era uma das torres do castelo, com uma janela que dava para o lago, dois sofás, algumas poltronas com tecido xadrez e uma lareira na parede azulada com quadros de paisagens. Na parede oposta, um espaço livre com uma televisão de tela grande. Amanda ficou num dos sofás com a jovem pálida de óculos pretos e cabelo repicado. Mike entregou um caderno para anotações e uma caneta para cada um dos presentes antes de sentar-se na poltrona perto da tela.

— Muito bem, vamos começar. Ontem eu falei um pouco de mim. Sou resultado de uma mistura das culturas brasileira e americana. Gosto das duas, pra dizer a verdade. Boa parte da escola cursei no Brasil e depois me formei em psicologia na Universidade de Columbia, em 1975. Fiz mestrado e doutorado depois disso e trabalhei um bom tempo com pesquisa, mas o trabalho clínico sempre me fascinou. Por isso, busco o que existe de novo e eficaz. O trabalho em grupos com o Who am I Experience começou há quinze anos e tem sido muito gratificante. Este é meu seminário favorito, porque a autoestima, pra mim, é a coluna dorsal da personalidade. Agora eu gostaria de conhecer um pouco mais de vocês e saber o que esperam do seminário.

Algo está errado, pensou Amanda. Se ele se formou na faculdade em 1975, quando tinha cerca de vinte e cinco anos, então devia ter nascido em 1950. Ele deveria estar com sessenta e oito anos, mas dava a impressão de ter uns cinquenta. Seus cálculos foram interrompidos pela vibrante colega sentada no sofá ao lado.

— Eu sou Tânia, sou baiana de Salvador, mas estou no Rio há tantos anos que me sinto carioca. Por isso digo que sou baianoca, baiana e carioca. Tenho uma clínica de estética e um salão de beleza no Rio. Sou casada, não tenho filhos porque não quis mesmo e estou superempolgada com esse curso! Não sei direito como é, porque a cliente que me indicou não quis contar nada. Só me disse que foi *transformador*, então vim até aqui para conferir.

— Sua cliente fez bem, Tânia — disse Mike. — Daqui a pouco vou passar pra vocês um contrato, e uma das cláusulas é não revelar o que acontece aqui justamente pra não atrapalhar a experiência dos que vierem a frequentar nosso seminário. Quem é o próximo?

Fernando se ajeitou na poltrona perto de Mike e se apresentou:

— Meu nome é Fernando. Sou mineiro, casado, tenho um casal de gêmeos, de seis anos de idade, e uma empresa de representação comercial de produtos esportivos. Na verdade, estou aqui mais pra atender a um pedido da minha mulher do que por vontade própria. Ela que se informou sobre tudo e, como gosto de tomar um bom uísque de vez em quando, fiquei mais interessado quando soube que o seminário seria na Escócia.

— Obrigado por sua sinceridade, Fernando — disse Mike. — Esta será uma qualidade muito importante nos próximos dias. Certamente vamos nos conhecer bastante se formos transparentes. Já adianto aqui outro item do contrato. Como diz o ditado americano, "*What happens in Vegas, stays in Vegas*". Las Vegas é a terra do jogo e da farra, das despedidas de solteiro e dos casamentos-relâmpago. No nosso caso, o que acontece em Dornoch fica em Dornoch. O sigilo e a confidencialidade são fundamentais para que cada um possa se abrir para o processo e com os outros. Isso dá uma força a mais para todo o trabalho. Está claro?

Todos acenaram com a cabeça, e alguns semblantes ficaram menos tensos. Após um breve silêncio, Amanda fez menção de falar, mas sua companheira de sofá foi mais rápida:

— Eu me chamo Paula. Tenho trinta e quatro anos, sou jornalista, já trabalhei para alguns jornais e revistas de São Paulo e do Rio, geralmente em assuntos relacionados a saúde e ciência — disse ela, tirando os óculos pretos de aro grosso. — Esta é, inclusive, uma das motivações para eu estar aqui. Estava fazendo uma matéria sobre novas formas de terapia, e um dos meus entrevistados conhece o senhor e me contou sobre este seminário.

— Podemos deixar o "senhor" de lado, Paula. Depois quero saber mais sobre o que descobriu.

— Eu sou Amanda. Sou médica endocrinologista, moro em São Paulo — disse rápido. — Fui casada, estou separada há um ano — surpreendeu-se com uma vontade súbita de chorar, mas segurou e seguiu adiante, olhando diretamente para Mike. — Estou aqui porque preciso mesmo e espero que este retiro me ajude.

— Acredito que vai ajudá-la, Amanda. Ainda mais se você não se defender das emoções negativas que surgirem. — Mike fez uma pequena pausa enquanto a mirava. — Elas têm muito a nos ensinar, só é preciso coragem para reconhecê-las e dar espaço para que façam o que precisam dentro da gente. Estou vendo que você tem essa coragem.

Amanda respirou fundo, sentindo-se estranhamente amparada. Um olhar e um comentário bastaram para que deixasse de constrangimento. Sua colega mais jovem tomou a palavra.

— Eu sou a Carol. Sou de Curitiba, trabalho com moda para uma empresa de Santa Catarina. Em fevereiro tem a Semana de Moda em Londres, por isso negociei com meu chefe pra vir pra cá e usar alguns dias de férias antes de ir para a Inglaterra. E também quero conhecer Edimburgo.

— E como chegou até nós?

— Pela minha mãe. Na verdade, ela queria vir, mas, como não podia, insistiu para que eu viesse. Ela resolveu me dar de presente, e eu aceitei. Achei estranho o tema ser autoestima, mas não deixa de ser relacionado àquilo com que eu trabalho, certo?

— Dá pra dizer que tem alguma relação, sim — disse Mike, virando-se para o último integrante.

Está explicado por que ela se encontra tão cuidadosamente arrumada no seu modelito, pensou Amanda. Deveria ter vinte e poucos, mas a produção estragava um pouco da sua beleza natural, que não era pouca.

— Meu nome é Alberto, sou funcionário público e trabalho em Brasília há vinte anos. Fui pra lá com vinte e nove, me casei, tenho três filhos — disse ele. — Minha vida era estável, até que tive um infarto, há dois anos. De lá pra cá, algo mudou, e eu não consigo voltar a ser quem eu era antes. Li o depoimento de um senhor que afirmava ter gostado muito da experiência no seu curso e me interessei. Achei que sair do meio em que estava ia me fazer bem...

— Bem-vindo, Alberto, e todos vocês. Como eu disse ontem, o tema do seminário é autoestima. Eu escolhi esse tópico por causa do resultado da autoavaliação que vocês fizeram pelo site.

— Eu lembro que tinha uma pergunta sobre autoestima — disse Fernando —, se era alta ou baixa... Com certeza eu respondi que não era baixa.

— Entendo, Fernando. Na escala, há uma graduação, não é simplesmente responder sim ou não. Mais do que isso, havia várias outras perguntas. Então, vou aproveitar e começar por aí. O que vem à cabeça de vocês quando pensam em uma pessoa com problemas de autoestima?

— Alguém que não gosta de si, que se acha feio, com defeitos — disse Tânia, sem pestanejar.

— O que mais? — perguntou Mike, enquanto digitava num pequeno teclado em seu colo. A tela atrás dele ligou automaticamente.

— Alguém que acha que não merece o que tem, que não se dá valor — completou ela.

— Inseguro, que se critica demais — sugeriu Carol, brincando com o seu colar artesanal de lã.

— Submisso, que não tem vontade própria, que segue o que os outros dizem sem questionar — disse Fernando.

— E como essa pessoa se sente? — perguntou Mike, ainda digitando.

— Triste, sem graça, negativa... — falou Paula.

Mike gesticulou, pedindo mais. Amanda se manifestou:

— Oprimida, que se sente um lixo, presa em si mesma.

— Bom, Amanda... E como ela se expressa, como é o corpo dessa pessoa?

— Fechado, encolhido, pouco à vontade na própria pele — Amanda continuou com mais confiança, pois conhecia vários pacientes assim. — Carrega uma culpa, como se levasse um fardo.

— E o olhar?

— Fraco, sem foco, como se estivesse pedindo algo, que precisa de você, que você pelo menos não seja crítico.

— Bem observado — disse, digitando. — E o que essa pessoa pensa sobre si mesma?

— *Eu sou um merda* — disse Fernando.

— Muito bom. O que mais? — Mike o encarou brevemente, incentivando-o a continuar.

— *Eu não sirvo pra nada, sou um inútil, um perdedor.*

— Ótimo. Acho que já temos material suficiente pra começar. Agora vamos organizar a lista em quatro colunas. Queremos saber o que uma pessoa com problemas de autoestima sente, o que pensa sobre si, como é seu corpo e como se comporta, de acordo com a opinião de vocês.

Ele digitou e na tela apareceram as expressões "sentimentos", "crenças sobre si", "corpo" e "comportamento".

— Ah, eu me esqueci de pegar os contratos. Enquanto vou buscá-los, organizem essa lista em quatro colunas, ok? Fernando, você assume o comando? — disse Mike, levantando-se e tocando na tela *touch*.

Fernando prontamente se levantou e estufou o peito.

— Muito bem, pessoal — disse ele.

Antes de sair, Mike deu uma piscadinha para Paula. Amanda percebeu porque estava ao lado dela, e Paula logo olhou para ela com cara de surpresa, selando uma cumplicidade entre as duas naquele instante.

— Eu acho que isso aqui é pensamento, essa aqui é sentimento... — Assim Fernando foi movendo as partes da lista, de costas para todos. Tânia mencionou que "feia" deveria estar em pensamento e não em sentimento, mas ele pareceu não ouvir. Todos trocaram olhares enquanto Fernando trabalhava com afinco.

— Gente, me digam o que vocês acham — disse ele, voltando a cabeça para trás por um segundo. Amanda percebeu Tânia e Alberto cochichando, e era exatamente o que ela queria fazer com Paula, mas se segurou. Carol deu alguns palpites falando alto, mas só conseguiu que Fernando trocasse "oprimido" da lista de comportamento para a de sentimento.

— Acho que é isso, vocês concordam? — disse Fernando, que, ao se virar, sentou-se no lugar de Mike e segurou o teclado.

Tânia respondeu com um tom irônico:

— Concordamos que é isso que você pensa, o que não quer dizer que a gente pense do mesmo modo. Apesar disso, a maioria dos itens parece estar no lugar certo.

— Mas o que você mudaria? — perguntou Fernando, indignado.

Mike entrou em seguida e distribuiu uma folha para cada um. Quando chegou ao lugar antes ocupado por Fernando, olhou para ele e acenou com a cabeça. Fernando levou um segundo para entender que era para voltar para a sua poltrona.

— Obrigado, Fernando — disse Mike, ao ocupar novamente sua poltrona ao lado da tela. — O teclado fica comigo também.

— Ah, sim, aqui está.

— Vamos definir as normas de conduta do seminário e depois voltamos para a nossa lista. O contrato é simples: não revelar detalhes sobre a experiência e manter sigilo sobre o que for contado aqui. Há uma terceira cláusula sobre celulares, tablets e computadores. Eles não serão mais permitidos a partir das duas da tarde de hoje, quando voltarmos para a sala depois do almoço. Até lá, deixem suas mensagens automáticas programadas no e-mail, avisem as pessoas mais próximas e informem meu endereço de e-mail para elas entrarem em contato comigo se houver necessidade. Leiam com atenção e, se concordarem, assinem.

— Isso não é radical demais? — disse Paula, que percebeu Carol concordando com a cabeça.

— Talvez, mas ao longo dos últimos anos percebemos uma diferença enorme no apego dos participantes às suas maquininhas, o que passou a atrapalhar o seminário. Quando as proibimos, o rendimento voltou a ser o mesmo do começo. Depois dos smartphones e das redes sociais, não havia mais controle. Faz quatro anos que é assim e vale a pena, confiem em mim.

— Tudo bem — disse Carol, beijando seu celular. — Mas não bastaria deixar no silencioso só nas horas em que estamos aqui? É assim que fazemos em reuniões...

— Não. O triste fato é que os celulares parecem ter se tornado mais interessantes do que as pessoas. Agora leiam e, se concordarem com os termos, assinem e me devolvam.

Carol mexeu em seu longo cabelo castanho com luzes por alguns segundos para ver se Mike diria algo mais, até que desistiu e resolveu ler o tal contrato. O clima ficou ligeiramente tenso, mas todos entregaram o papel assinado.

— Obrigado pela confiança. Agora vamos ver o que vocês fizeram.

— Então, organizamos os itens como você pediu — disse Fernando, tensionando seu largo maxilar.

— Não foi bem isso que aconteceu.

— Como assim, Tânia? — Mike quis saber.

— O Fernando simplesmente fez do jeito dele e mal nos ouviu. A única que conseguiu alguma coisa foi a Carol, que basicamente gritou pra ele mudar uma palavra que estava na coluna errada.

— Fernando?

— Mike, eu fiz o que você pediu, mas eles não contribuíram com quase nada. Eu pedi que me ajudassem e depois ainda perguntei se estavam todos de acordo.

— Você se importa se eu perguntar a todos como viram a situação?

— Pode perguntar.

— E então?

— Foi como a Tânia disse — falou Alberto, coçando sua barba acinzentada.

Fernando resmungou e se ajeitou na poltrona.

— Eu fiz o que o Mike pediu, ora! Se eu não tivesse feito, ficaríamos só discutindo!

— Fernando, por favor, feche os olhos um minuto — disse Mike. Fernando encarou-o sem parecer entender. — É só fechar os olhos. Isso. Agora preste atenção no seu corpo. Perceba as sensações deste momento. Simplesmente observe o que está acontecendo. Tem alguma parte que chama sua atenção?

— Sim, a cabeça... e as mãos.

— Ótimo! Onde na cabeça?

— Em toda ela, mas principalmente na mandíbula.

— Humm, e que emoção está aí dentro?

Fernando hesitou em responder.

— Raiva.

— Muito bom, Fernando. Agora, beeem lentamente, abra e feche a boca.

Para a surpresa de Amanda, lá estava aquele sujeito que se mostrara tão arrogante abrindo e fechando a boca na frente de todos.

— Isso... Você está indo muito bem — disse Mike, apontando para o peito de Fernando a fim de que todos percebessem que ele estava fazendo uma respiração profunda espontaneamente. — Agora faça o mesmo com suas mãos. Abra e feche bem devagar e perceba como essas sensações lentamente se modificam.

Fernando continuou obedecendo, e ninguém tirava os olhos dele. Depois de alguns minutos em silêncio, quando ele deu um novo suspiro e abriu os olhos, parecia que estava enxergando todos pela primeira vez na vida.

— Como você está agora?

— Mais calmo.

— Agora você pode me contar o que aconteceu enquanto eu estava fora?

— Eu quis fazer direito o que você pediu, me senti responsável. Estava tão preocupado com isso que acho que ignorei os outros. Enquanto estava de olhos fechados, me vi trabalhando na tela, mas não veio nenhuma imagem deles. Acho que nem me virei para interagir. Logo depois que acabei, você chegou.

— Eu vi que uma pequena discussão estava começando. O que estava acontecendo dentro de você naquela hora?

— Eu estava me sentindo criticado. E injustamente, porque, bem ou mal, tinha me empenhado e finalizado o que você pediu.

— E?

— E aí comecei a me defender.

— Defender o quê?

— Minha conduta, minha atitude.

— O que mais?

— Minha opinião.

— O que mais?

As perguntas de Mike não tinham um tom intimidador. Passavam uma intenção genuína de descobrir o que ocorrera.

— Meu ego?

— Ótimo, Fernando. Só um pouquinho mais... Se quiser, feche os olhos de novo.

Fernando aceitou a sugestão e ficou parado por alguns segundos. Quando abriu os olhos, voltou a fitar Mike.

— A minha autoestima!

— Ela mesma — confirmou Mike, estendendo a mão para cumprimentá-lo. — E vocês, como se sentiram quando o Fernando não deu importância ao que pensavam?

— Chateada, desconsiderada — disse Tânia.

— Rejeitada, sem valor, como se eu não importasse — reforçou Paula.

— Um fraco, porque não conseguia fazer nada para mudar o que estava acontecendo — disse Alberto.

— Então, lá dentro de cada um de vocês, o que estava abalado? — perguntou Mike, estendendo os braços para cima, como um maestro.

— Autoestima! — disseram, em coro.

Por alguns segundos, todos se olharam sem dizer uma palavra. Foi o tempo necessário para que não houvesse mais dúvidas sobre o tópico do seminário.

— Que tal um chazinho agora? — convidou Mike.

Amanda estava começando a gostar daquilo. Mike não parecia estar de brincadeira, mas também não tinha pressa. Havia servido chá para todos e estava absorto com sua caneca na mão sem dar abertura para que se quebrasse o silêncio. Amanda tinha entendido bem que aquela situação cutucara sua autoestima, mas o que dizer da lista? Resolveu comentar baixinho com sua parceira de sofá.

— Paula, será que a gente é assim como pusemos na tela e não sabemos?

— Agora não sei mais nada, mas era nisso que eu estava pensando.

Mike terminou seu chá e ficou olhando para o grupo e para a lista com as descrições de uma pessoa com problemas de autoestima.

Sentimentos
Não gosta de si
Triste, sem graça, negativa
Presa em si mesma
Carrega culpa
Insegura, oprimida, se sente um lixo

Crenças sobre si
Eu sou uma merda
Não sirvo para nada, inútil, perdedora
Sou feia, cheia de defeitos
Não mereço o que tenho
Não me dou valor

Comportamento
Critica-se demais
Submissa
Segue os que os outros dizem sem questionar

Corpo
Fechada, encolhida
Não se sente à vontade na própria pele
Como se levasse um fardo

— Alguém se identificou com essa lista? — perguntou ele.

Como ninguém fez menção de responder, Mike continuou:

— E se eu perguntasse o quanto vocês se identificam com essa lista? Que tal cada um pensar em um número de zero a dez? Zero quer dizer que não tem nada a ver com você e dez, que tem tudo a ver. Pensem no número e escrevam na folha.

Amanda teve que reconhecer que se identificava com alguns itens. A traição havia abalado algo profundo dentro dela. Resolveu ser o mais honesta possível e se deu um seis.

— Lembrem-se: o que acontece em Dornoch fica em Dornoch. Quem quiser pode mostrar seu número para os outros.

Com um aperto no peito e um calor subindo pelo pescoço, Amanda virou sua prancheta para todos verem seu seis. Paula se juntou a ela e todos revelaram suas respostas. Sua nota só perdia para o sete de Alberto. As menores eram de Fernando e Carol, que colocaram o número um. Tânia e Paula se deram quatro e cinco, respectivamente. Amanda se surpreendeu com a nota alta de Tânia, o que a fez perceber que a única coisa que não combinava com sua personalidade e sua profissão era seu cabelo preso.

— É bom trabalhar com gente corajosa! Podemos ver que temos de tudo aqui. Alberto e Amanda se identificaram mais, Fernando e Carol bem pouco. O que acabamos de listar são as características de uma pessoa com autoestima baixa. Para que ela seja ou esteja baixa, geralmente a pessoa passou por momentos fortes e dolorosos. Amanda, que nota você daria a si mesma alguns meses antes de se separar do seu marido?

— No máximo, três.

— E você, Alberto, um ou dois anos antes do seu infarto?

— Talvez um quatro.

— Alguém de vocês tinha uma nota mais alta, ou seja, a autoestima pior quando estava, por exemplo, no fim da adolescência?

— Eu diria que era um sete ou oito até começar a trabalhar, quando eu tinha dezessete anos — disse Tânia. — Depois, fui melhorando aos poucos.

— Eu também já fui pior — disse Paula.

Todos olharam para Fernando, como se fosse a vez dele de reconhecer alguma fraqueza. Mike também esperou até que ele falasse.

— Eu passei por uma fase difícil quando tinha dezenove anos, quando me senti bem mal. Eu me daria um seis naquela época, mas passou.

— Obrigado pela sinceridade de vocês. Eu mesmo diria que isso tudo o que está no quadro me descreveu perfeitamente quando estava com trinta e sete anos de idade. Seria um dez, ou seja, autoestima zero. Outra hora conto essa história. Mas autoestima baixa não é o tema central do seminário, apesar de ser uma questão importante para o Alberto e para a Amanda neste momento e mais remota para a Tânia e a Paula. Ainda assim, esses aspectos deverão melhorar bastante com as atividades e técnicas que vamos usar ao longo do seminário — disse ele, olhando para os dois que se atribuíram as notas mais altas.

Amanda não tinha ideia do que estava para acontecer, mas um fio de esperança se acendeu nela pela tranquilidade na fala de Mike. Parecia vir da experiência de anos, não da necessidade de apoiá-la.

— Vejam bem, eu perguntei sobre as características de alguém com problemas de autoestima e todos foram direto para o que estamos chamando aqui de autoestima baixa. Então, que outro tipo de problema pode existir?

— Excesso de autoestima? — insinuou Tânia. — Alguém que se acha superior, especial...

Amanda percebeu que havia uma mensagem indireta para Fernando, que não acusou o golpe.

— Isso é um problema também, Tânia, bem apontado. Mas podemos dizer que se trata do outro lado da moeda, certo? Que, na verdade, essas duas situações têm algo em comum. O que mais vem à cabeça de vocês? — insistiu. — Lembrem-se de como se sentiram quando o Fernando não estava nem aí para vocês.

Fernando fez menção de falar, mas Mike o impediu, sinalizando com a mão.

— Eu me senti bem desconfortável, porque eu queria participar e dar a minha opinião — disse Paula —, mas vi que a Tânia e a Carol estavam com dificuldades.

— O que você quer dizer com desconfortável?

— Chateada, desconsiderada... rejeitada, excluída — respondeu, apoiando-se em sua mão entrelaçada no cabelo repicado.

— Muito bem, Paula. A atitude do Fernando provocou uma dorzinha interna porque mexeu na sua autoestima, uma vez que você queria que o seu valor fosse reconhecido, correto?

— Acho que sim — confirmou ela.

— Então que tipo de problema de autoestima será esse?

Como Paula insinuou estar confusa, Carol arriscou:

— Frágil? Que a nossa autoestima é frágil?

— É por aí, Carol — disse Mike, contente pela participação dela. — Podemos chamar de autoestima frágil ou falta de autoestima, que, na essência, são a mesma coisa.

Carol pareceu subir um centímetro ou dois com o pescoço ao receber o elogio do mestre.

Amanda arregalou os olhos ao perceber que algo fundamental em si começava a fazer sentido; no entanto, ela ainda não sabia direito o que era. Pensou que talvez a falta de autoestima já estivesse presente antes de ela ser atropelada pela traição de Carlos. Então, resolveu perguntar:

— Você pode explicar melhor como é essa história de falta de autoestima, Mike?

— Claro! Quem tem falta de autoestima ou autoestima frágil — prosseguiu — costuma ser sensível demais. É alguém que se abala facilmente, tolera pouco as críticas, se magoa com facilidade, se culpa e se critica demais, lida mal com a rejeição, busca aprovação, fica remoendo horas ou até dias depois de algum conflito — discorreu ele, calmamente, enquanto Amanda afundava no sofá.

O silêncio tomou a sala enquanto todos olhavam para Mike. Após uma breve pausa, continuou:

— Algumas pessoas se sentem carentes ou emocionalmente dependentes, com medo de serem abandonadas, mas isso nem sempre é uma atitude consciente. É comum que tentem agradar aos outros, ou pelo menos não desagradar, por isso podem ter dificuldade de dizer "não" e de fazer valer seus direitos. Vocês conhecem alguém com essas características?

Era como perguntar se ela conhecia algum cachorro que late, abana o rabo e gosta de roer osso. Seus ombros pesaram, e Amanda olhou para o chão enquanto um rápido flashback passava por sua mente. Sensível demais, desde pequena sentia que as coisas a atingiam fortemente, de modo que nem sempre ela sabia lidar bem com o que acontecia. Não adiantava assoprar, como sua mãe fazia quando ela se machucava. Chorar agarrada no travesseiro ajudava algumas vezes. Mais tarde, passou a contar com os livros como companheiros. Ouvia seus colegas de seminário falando, mas sua mente estava no passado.

— Amanda? — perguntou Mike. — Tudo bem com você?

— Ah, sim. Estava pensando nisso que você falou.

— Você foi a única que não comentou nada. Todos parecem ter se identificado com algumas dessas características.

— Desculpe, eu não estava prestando atenção. Acho que foi muita informação pra eu digerir. Acho que tenho *todas* essas características.

— E uma disposição muito grande em se entregar para esse processo, pelo que posso ver. A maioria das pessoas tem dificuldade em reconhecer seus defeitos, nega seus problemas reais e se defende do jeito que pode de tudo o que provoca incômodo ou desprazer. É uma maneira de se proteger, claro, mas na verdade essas pessoas estão se enganando. Costumo dizer que operam no modo "autoproteção", ou seja, "é melhor não saber o que tem dentro de mim, porque pode ser ruim".

— Eu já fui assim durante muito tempo da minha vida. Agora, nem que eu quisesse eu conseguiria. Então que modo é esse em que estou agora? — disse Amanda.

— De autoconhecimento: "é melhor saber, mesmo que seja ruim". — E, olhando para cada um do grupo, completou: — Em algum grau, todos vocês querem saber mais de si. Alguns mais, outros menos, como é o caso do Fernando e da Carol.

Os dois se olharam espantados com a franqueza de Mike.

— Mas, como vocês parecem inteligentes, logo vão deixar o autoengano para aproveitar este seminário, já que vieram de tão longe pra isso. Depois do almoço, vamos começar pra valer.

Depois daquele choque de realidade, a conversa na hora do almoço girou a respeito de tudo, menos do que se passara minutos antes. Pelo menos na aparência. Foram servidos creme de legumes e quiche, o que deixou o clima mais leve. Amanda se sentiu confortada pelo calor da sopa enquanto fingia interesse, porém não estava a fim de conversar. Mike também ouvia mais do que falava, sem passar a impressão de analisar as pessoas o tempo todo, um dos receios mais comuns quando se está diante de psicólogos.

Amanda se lembrou de uma amiga que, recém-formada em psicologia, tinha explicação para tudo, o que a impedia de desabafar ou simplesmente falar bobagens quando se encontravam. Com os anos, ela melhorou um pouco. Será que foi por isso que levou tanto tempo para buscar terapia? Na verdade, não. Por anos, esteve ocupada demais cumprindo as metas da sua vida na profissão, no amor, com a família e com a aparência. Afinal, parecia a fórmula da felicidade, e seus pais não tinham meias palavras em dizer que era aquilo que esperavam dela. Também queriam netos logo depois que ela se casou com Carlos. Com a separação, sentia que havia falhado em cumprir essas expectativas e, bem, estava um tanto infeliz. Portanto, a fórmula da felicidade não parecia tão errada.

Paula tocou em seu braço e puxou assunto:

— De onde você é, Amanda?

— Minha família é gaúcha. Eu também, na verdade, mas nos mudamos para São Paulo quando eu tinha catorze anos.

— E onde você cursou Medicina?

— Em Ribeirão Preto. Depois fiz residência no Rio de Janeiro, só que logo voltei para São Paulo. E você?

— Paulistana da gema em todos os sentidos. Amo aquela cidade, apesar do caos.

— O que está achando do seminário? — Amanda resolveu perguntar, cortando a conversa fiada.

— Ainda não sei bem, mas gosto do Mike. Só mais tarde é que eu fui entender a piscadinha dele quando saiu da sala. Será que ele já sabia que o Fernando ia se comportar daquele jeito?

— Acho que tinha uma ideia, sim. Ele é uma figura. Achei que era o motorista quando foi me pegar no aeroporto.

— Eu também levei um susto quando me dei conta de que ele era nosso instrutor! Será que já estava nos avaliando desde que chegamos?

— Com certeza. Engraçado... Tem algo que me faz confiar nele, apesar de a gente se conhecer há pouco tempo. Ele me deixa à vontade para falar o que sinto.

— Ele chegou a te elogiar por isso. E também deu uma cutucada no Fernando e na Carol.

Amanda esboçou um sorriso e emendou:

— Você se identificou com essa história de sensibilidade emocional?

— Totalmente — respondeu, com os olhos fixos em Amanda. — E você?

— Tanto que ainda não me recuperei direito. Acho que é porque eu sou sensível! — disse, rindo da própria piada. — Eu sou tudo aquilo que ele descreveu. Parece tão óbvio agora...

— Eu já fiz muitas matérias sobre psicologia e comportamento, mas nunca sobre isso. O foco estava sempre no estresse em si, não na sensibilidade que cada pessoa tem em relação a isso. Acho que, se eu melhorar uns trinta por cento nessa área, já vale a pena ter vindo até aqui.

Nesse momento, Mike pediu que todos levassem seus aparelhos eletrônicos para a sala. Os seis subiram aos quartos para buscá-los. Ele informou que daria cinco minutos para avisarem os familiares e programarem suas respostas automáticas, e depois... Apontou para uma caixa de papelão em cima da mesa lateral.

Tânia foi a primeira a deixar seus aparelhos na caixa e deu um adeusinho com a mão, ritual que foi repetido por todos os integrantes, cada um se despedindo à sua maneira.

— Maravilha — disse Mike. Ninguém parecia compartilhar seus sentimentos. — Dói um pouco no começo, não?

Foi o que bastou para cada um se lamentar pelo fato de ficar sem seus brinquedos. Ou argumentar que se tratava do seu instrumento de trabalho. Ou que não poderia ouvir suas músicas, tirar fotos e postá-las.

— Então, vamos aproveitar isso pra fazer uma pequena experiência. Fechem os olhos, relaxem o foco da sua atenção e percebam qual é a sensação de ficar sem suas maquininhas... — disse Mike, lentamente. — Percebam o seu corpo e as emoções que surgem. Se alguém quiser, pode dizer as palavras que lhe vierem à mente.

Todos atenderam ao pedido. Pareciam meditar.

"Desconectada", "solidão", "frustrada", "apertinho no peito", "sentindo a nuca tensa", "não sei o que fazer com as mãos" e "vazio" foram expressões que usaram.

— Ótimo... Agora, bem conectados com isso que vocês estão sentindo, façam uma viagem no tempo... e vejam se surge alguma lembrança de quando sentiram algo semelhante. Sem pressa...

— Nossa... Senti algo parecido quando saí do país para fazer intercâmbio aos dezesseis anos — disse Paula. — Fiquei um ano fora e falei muito pouco com meus pais.

— Me sentia assim quando chegava a hora de parar de brincar com meus filhos pra tomar banho e dormir — disse Alberto.

Mike ouvia atentamente e instruiu:

— Estão indo muito bem. Todo mundo conseguiu identificar alguma memória desse tipo?

Todos confirmaram.

— Então, percebam como o corpo responde quando vocês mergulham nessas cenas. Vamos fazer isso por alguns minutos e, quando acharem que estão prontos, podem abrir os olhos.

O silêncio tomou conta da sala e só foi interrompido por um ou outro suspiro profundo. Amanda retornou a seus catorze anos, quando saiu de Porto Alegre. Deixou as poucas amigas que tinha, a escola, o balé. Ficou um vazio no peito, mas também na barriga. Passou um filme em sua mente: os primeiros dias em São Paulo. Mal havia chegado e já estava na nova escola, perdida, longe de quem gostava. A sensação foi se acalmando, mas ainda estava presente quando ela resolveu abrir os olhos. Percebeu que foi a última a fazer isso.

— E aí, o que aprendemos com essa experiência? — perguntou Mike.

Depois de alguns segundos sem resposta, Tânia tomou a iniciativa:

— O que entendi é que a situação que vivemos no passado pode ser diferente da de hoje, mas elas podem ser muito semelhantes na maneira como as sentimos.

— Eu fiquei com a impressão de reviver algo do passado — disse Carol —, mas não tinha consciência disso. Me incomodou muito quando eu me lembrei do que aconteceu.

— Você quer compartilhar o que aconteceu?

— Eu tinha uns oito anos, e minha mãe me buscava no colégio todos os dias. Ela me esperava perto do portão, sempre, mas teve um dia em que ela não apareceu. Vi as outras crianças entrando no carro dos pais... O ônibus escolar foi embora e eu fiquei ali. Só restava o porteiro, mas ele não falava comigo.

— Agora, quando você se lembrou disso, o que veio à sua mente, Carol?

— A dúvida sobre onde minha mãe estava. Sobre o que havia acontecido.

— E sobre você mesma? Alguma frase começando com a palavra "eu"?

— Não...

— Você se importa de fechar os olhos e voltar para essa memória?

Carol já estava de olhos fechados antes de Mike terminar a frase.

— Visualize a Carol menina naquele portão. O que passou na sua cabeça em relação a você mesma naquele momento?

— Que minha mãe tinha me esquecido.

— Ok, e isso que significa que...

Carol hesitou em responder. Seu queixo tremeu um pouco.

— Hum... que fui deixada, abandonada.

— Muito bem... E o que mais?

— Que eu não sou importante — confessou, enquanto uma lágrima escorria.

— E que sentimentos isso desperta aí dentro?

— Raiva... mágoa... tristeza.

— Excelente, Carol. E no seu corpo?

— O peito... A garganta presa.

— A garganta presa. Perceba essa sensação — disse Mike, com voz suave —, e vamos com isso.

Carol continuava concentrada, e seu corpo fazia pequenos movimentos bruscos. Mike sinalizou aos demais para que reparassem nisso.

— Quando minha mãe chegou, eu estava arrasada, mas ela fez de conta que não tinha acontecido nada. Perguntou como havia sido a escola, como sempre fazia.

— E você?

— Eu fiquei muda. Eu queria uma explicação, mas ela não deu. E eu também não consegui perguntar. Fiquei com muito ódio!

— Imagine o que você gostaria de ter falado... Continue com a consciência do seu corpo e deixe ele fazer o que quiser enquanto o filmezinho roda na sua mente.

Carol permaneceu quase em transe. Pela expressão do rosto, o que estava acontecendo não era nada bom. Mais um suspiro, e ela começou a mexer a cabeça para um lado e para o outro, e assim se passaram alguns minutos. Amanda assistia à cena, curiosa, e reparou em Mike, que, sereno, permanecia à espera. Alguns minutos depois, o rosto de Carol relaxou e ela abriu os olhos. Estava diferente.

— O que foi isso? — perguntou Carol.

— Processamento. Você acabou de processar uma memória dolorosa. Você quer nos contar o que aconteceu aí dentro?

— Primeiro eu enchi a minha mãe de desaforos. Bati no painel do carro e, engraçado, enquanto pensava nisso minhas mãos formigaram. Falei tudo o que sentia e fiquei esperando a resposta dela. Ela parou o carro, olhou nos meus olhos, pediu desculpas e me abraçou. A tensão do meu pescoço desapareceu, assim como o desconforto na garganta e no peito.

— E como você está agora, quando pensa nessa situação?

— Bem mais tranquila — disse, com alguma surpresa.

— E no que você está pensando agora?

— Que eu sou importante para a minha mãe.

— Sério? — interrompeu Tânia.

— Sim.

Amanda estava tão atônita quanto Tânia. Que história era aquela de filmezinho, sensações e movimentos que pareciam reflexos?

— E com relação ao seu celular, o que é para você ficar sem ele agora? — indagou Mike.

— Hummm, ainda me incomoda, mas engraçado... bem menos do que antes.

— Isso é muito bom. E, na sua opinião, estamos mais próximos do autoengano ou do autoconhecimento? — provocou Mike, com um sorriso de canto de boca.

— Estou apostando minhas fichas no autoconhecimento — disse Carol, com uma piscada.

— Obrigado pela confiança e por fazer o que pedi. Você rendeu muito bem na técnica — disse para Carol e se virou para os demais. — Alguma dúvida?

— Todas! — disse Amanda, sem acreditar que ainda por cima aquela metidinha estava agora em paz sem o celular. — Que história é essa de processamento?

— Processamento é a capacidade de entrar em uma memória, em geral traumática, e fazer com que ela se resolva internamente. Há algumas formas de fazer isso. Hoje eu usei com o Fernando e com a Carol uma técnica chamada Experiência Somática, que foi desenvolvida por um psicólogo americano chamado Peter Levine.

Amanda continuava chocada. Como assim, uma memória traumática pode se resolver internamente? Mike falava como se fosse a coisa mais óbvia do mundo. Resolveu tirar a limpo:

— O que você quer dizer com "resolver" uma memória? A gente apaga essa memória? Cura a dor? Ela volta?

— Amanda, você vai conseguir todas essas respostas ao longo do seminário, mas, mais do que isso, vai experimentar. Dizer pra você que há cura, que as memórias se resolvem pra sempre, é um pouco simplista, mas por hora talvez o melhor seja acreditar no que viu. Prefiro que você sinta por você mesma. Mas adianto que não se trata de apagar a memória traumática. — E virou-se para Carol. — Você se lembra do que estudou no dia em que a sua mãe se atrasou? Ou algo em particular que tenha acontecido antes?

Carol arregalou os olhos, colocou a mão na cabeça e respondeu:

— Nossa, não tenho nem ideia.

— Amanda, ela sabe que estava na escola, mas por que será que não se lembra do que aconteceu na aula?

— Sei lá, porque o que ela estudou não tem muita importância para a situação? Talvez a aula fosse chata... — disse, querendo ser engraçada, mas sem conseguir.

— E por que cinco horas de escola não são importantes, enquanto os dez minutos em que ela ficou sozinha são?

— A situação na frente do portão foi muito ruim pra ela — disse, encolhendo os ombros.

— E onde esse "muito ruim" pega?

— Na autoestima?

— Sim, na autoestima. Mas o que quero dizer é que o que faz uma memória ficar marcada em nossa mente são as... — Mike olhou para Amanda com esperança.

— As... emoções?

Mike levantou as mãos, atirou-se para trás na cadeira e falou alto:

— As emoções! — E ficou olhando para o grupo, enquanto Amanda respirava aliviada por ter acertado. — As emoções são a tinta que faz as memórias ficarem marcadas na mente.

— E quem é a impressora? — cutucou Fernando.

— Boa pergunta... Nunca tinha pensado nisso, mas acho que já sei. — Virou-se para os participantes e abriu a pergunta para todos. — E a impressora, o que vocês me dizem sobre isso?

— Pra mim, é o cérebro — respondeu Paula.

Mike não se entusiasmou com a resposta.

— Sim, mas eu diria que tem algo mais.

Ninguém se arriscou.

— Onde vocês sentiram a memória de vocês?

— No corpo — disse Tânia.

— No corpo — confirmou ele. — Pra mim, o corpo é a impressora. Se o corpo não sentisse, não haveria o trauma.

— Tá, mas e o cérebro? — Paula quis saber.

— O cérebro não faz parte do corpo?

— É... — resignou-se ela.

— O que quero dizer é que o corpo, com todos os órgãos, é a impressora: o cérebro, os nervos, os músculos, as vísceras, as glândulas — disse, olhando para Amanda — que reagem liberando os hormônios... Não é à toa que quem passa por contextos difíceis e traumas psicológicos, mesmo sem ter lesão corporal, pode desenvolver uma série de doenças clínicas ou psiquiátricas. Mas estamos perdendo um pouco o foco. A questão é que não precisamos ser reféns dos nossos dramas pessoais, porém quase ninguém sabe disso.

Amanda não se contentou.

— Espera aí, essas técnicas de processamento podem curar pessoas com transtorno de estresse pós-traumático?

— Com certeza.

— Isso tem comprovação científica?

— Vasta, mas pra isso eu citaria outra técnica que vamos experimentar mais adiante no curso. São vinte e cinco artigos de ensaios clínicos controlados com resultados positivos nesses pacientes, doutora Amanda.

— Vinte e cinco? Os remédios que eu prescrevo precisam de dois bons estudos para serem aprovados e comercializados!

— Acho que estamos ficando muito técnicos. Podemos falar mais tarde sobre isso?

Amanda aceitou, mas ficou curiosa para ver os estudos, o que era impossível sem seu computador para pesquisar.

Mike voltou para o assunto das memórias.

— Então, se as memórias que têm um conteúdo emocional forte são as que marcam mais, elas têm um peso muito grande, desproporcional até, em definir alguns aspectos da nossa personalidade, como a autoestima. Faz sentido pra vocês?

Todos concordaram. Mike continuou.

— O outro tipo de memória que marca são as situações corriqueiras, repetidas muitas e muitas vezes. Mesmo que a tinta seja fraca, como a situação se repete, a impressora acaba fazendo a marca na mente. A Carol se lembra da escola, da sala de aula, dos colegas, dos professores, mas não do que aconteceu durante a aula naquele dia. Essas situações repetidas são importantes na construção de padrões mentais. Assim nos familiarizamos com as coisas, aprendemos como nos comportar... Basta seguir o programinha desde criança. Se o pai só chega tarde em casa, tudo bem, é assim que as coisas funcionam. Se a mãe cuida bem de mim e me trata bem, esse é o padrão pra mim. Isso tudo tende a ficar registrado de modo mais inconsciente, porque não são eventos tão dramáticos. Alguma dúvida?

Alberto, que estava quieto, resolveu falar:

— Ainda estou pensando no que você comentou antes, sobre autoestima e essa história de sensibilidade emocional. Isso tem a ver com experiências de vida mais traumáticas ou é genético?

— As duas coisas. Os estudos mostram que cerca de cinquenta por cento da personalidade é herdada e a outra metade vem do ambiente. De acordo com descobertas recentes, experiências traumáticas vividas pelos pais, e até pelos avós, deixam marcas que são passadas adiante, apesar de não mudarem o DNA diretamente. Há ótimos estudos em animais e alguns em humanos mostrando isso.

Amanda adorava quando a conversa caminhava para assuntos que envolviam ciência. Já tinha lido alguns estudos sobre epigenética, que era o que Mike estava explicando. Inclusive a mesma coisa acontecia com ratos machos alimentados com uma dieta tipo *fast-food* e que ficaram obesos. Os filhotes desses ratos, sem nunca ter convivido com o pai e tendo sido alimentados com ração normal, apresentavam alterações no metabolismo. Ela esperou para comentar isso, mas o momento adequado não surgiu.

Mike continuou:

— A questão aqui é o que podemos fazer pra melhorar a autoestima. A ciência e a experiência clínica mostram que alguns tipos de adversidade têm efeito danoso na autoestima. A boa notícia é que podemos reverter os danos dessas experiências negativas, e essa é uma parte central do nosso seminário a partir de amanhã. A Carol e o Fernando tiveram uma pequena amostra. Mas agora eu gostaria que vocês me dissessem o que é autoestima...

— Pra mim, é gostar de si mesmo. É se achar linda, poderosa — disse Tânia, rindo e passando a mão em seu corpo opulento de modo provocante.

— O que mais?

— Eu acho que tem mais a ver com se aceitar... — disse Paula, que, virando-se para Tânia, completou — ... Porque vejo algumas mulheres que se acham poderosas ou fazem de tudo para ser, mas que no fundo não passam a sensação de que estão bem com elas mesmas, entende?

— Vejo muitas mulheres desse tipo no salão, mas não posso reclamar, porque elas gastam bem e topam usar qualquer produto novo que eu ofereça!

— Mas você concorda comigo?

— Concordo, Paula, mas acho também que para a mulher é muito importante se sentir bonita.

— Amanda, Carol, o que vocês pensam? — Mike quis saber.

Carol respondeu:

— Acho que as duas estão certas. Não é preciso se sentir tão *poderooosa* — disse, imitando Tânia, em tom de brincadeira. — Mas acredito, sim, que se sentir bonita proporcione uma segurança maior. É por isso que é importante se vestir bem!

— Eu tenho que concordar com a Tânia — disse Amanda. — Tanto é que parte das minhas pacientes me procura pra perder peso, porque isso interfere na autoestima delas. Quando elas perdem dez, doze quilos, elas vêm mais arrumadas, maquiadas... É bonito de ver.

— Cada um puxa a brasa para o seu assado — brincou Fernando, olhando para Mike.

— Pois é, Fernando! E você, o que acha?

— Pra mim, o cara que tem autoestima se orgulha de si mesmo — falou com convicção, enquanto Mike olhava para ele sem esboçar reação, forçando-o a continuar. — Claro que o cara tem que se esforçar também, tentar ser o melhor, senão não vai conseguir aquilo que quer. Sem sucesso, fica difícil ter uma autoestima alta.

— Hum, interessante. E você, Alberto?

Ele coçou o queixo calmamente por alguns segundos antes de responder:

— Confesso que nunca parei pra pensar nisso, mas gosto de buscar a origem das palavras. "Auto", obviamente, é aquilo que é voltado para si mesmo. Eu fiquei em dúvida sobre "estima", porque tem a ver com apreciar, gostar, mas também com analisar, como no caso de fazer uma estimativa sobre a quantidade de alguma coisa.

Dessa vez, Mike acenou a cabeça em sintonia com o que Alberto disse.

— Você acabou de me poupar trabalho, Alberto. Você chegou a alguma conclusão?

Amanda reparou que Fernando estava desconfortável, mas tentava disfarçar, inquieto na poltrona. Ele despertava nela uma mistura de sentimentos: por um lado, chamou sua atenção pela postura confiante, por ter sido gentil no aeroporto, e não podia negar que era um homem elegante. No entanto, em vários momentos ele mostrou que precisava sobressair, mostrar que era importante, e isso a incomodava. A resposta de Alberto a trouxe de volta para o que acontecia na sala.

— Vou ler o que escrevi aqui: é a capacidade de se autoanalisar e gostar de si mesmo depois de fazer essa análise.

— Muito bom — disse Mike, sem fazer alarde. — Todos mencionaram aspectos importantes sobre autoestima. Sentir-se bonita ou bonito, como apontaram vocês três que, de alguma forma, trabalham com isso. Aceitar-se, como disse a Paula; ter conquistas das quais se orgulhar, segundo o Fernando; e, por fim, a definição do Alberto. Eu diria que a Paula e o Alberto seguiram uma linha, e vocês quatro seguiram outra. Vocês percebem o que há de diferente nesses dois raciocínios?

Amanda pressentia que Mike não estava de acordo com o argumento que defendera, mas o que ela podia fazer? Ela era testemunha disso todos os dias no consultório e, como médica, ficava contente quando ajudava pacientes com diabetes a perder peso. Também lidava com a decepção quando eles voltavam a ganhar peso e se sentiam derrotados. Ela propunha alternativas e tentava esconder sua frustração, mas ficava igualmente incomodada com os insucessos. Aonde é que Mike queria chegar?

Paula pediu a palavra.

— Minha impressão é de que um caminho é você tentar dar o seu melhor e gostar de si quando consegue, e o outro caminho é continuar gostando de si mesmo quando não consegue.

Amanda concordou com ela e ficou esperando o veredicto de Mike, que provocou Tânia e Fernando, ao dizer:

— Mas esse outro caminho não seria se resignar, se contentar com pouco?

— De certa forma, sim — disse Tânia. Mike esperou por mais. — Eu não consigo.

Fernando a acudiu.

— Se você pode ser melhor, o que há de ruim nisso?

— Não estou aqui pra fazer julgamento de valor — disse Mike. — Não sou dono da verdade nem pretendo ser. Até porque filosoficamente entendo que a verdade é algo que não se atinge, só tentamos nos aproximar dela. O que quero é levá-los a refletir sobre os princípios que estão por trás daquilo em que vocês acreditam. Isso é fundamental, já que são eles que norteiam os comportamentos e definem o modo como se sentem em relação a si mesmos, ou seja, ao modo como funciona a autoestima de vocês.

Mike fez uma pausa e esperou que alguém comentasse algo. Ninguém se manifestou. Virou-se para Fernando e prosseguiu:

— Querer melhorar ou evoluir é muito bom; no entanto, o foco não é esse. O que posso lhe dizer é que, durante muitos anos da minha vida, pensei como você, que meu valor dependia das minhas conquistas. Nem me dava conta disso na época, pra falar a verdade.

O problema foi que isso acabou comigo. Talvez nunca venha a ser tão ruim para você quanto foi para mim, e não há dúvida de que essa postura traz coisas muito boas, que são exatamente as conquistas. Mas você percebe o risco desse comportamento?

— Hummm, acho que estou entendendo. Já aconteceu de eu largar algumas coisas porque não estava conseguindo me sair bem.

— Exatamente. Eram importantes pra você?

— Sim. — Fernando ficou olhando para um ponto no chão. Mike só esperou. — Muito importantes.

— Então, Fernando, mantendo seu olhar nessa direção, o que há de diferente nessas duas abordagens?

Fernando parecia hipnotizado, com o olhar fixo; contudo, em poucos segundos, respondeu:

— Em uma delas, seu valor depende dos resultados que você alcança; na outra, não — disse Fernando.

Quando voltou seu olhar para Mike, Fernando parecia constrangido e melancólico.

— Muito bem, Fernando. Claramente você chegou a essa resposta por estar no seu modo de autoconhecimento.

— Pode ser, mas fiquei incomodado.

— Esse incômodo tem a ver com tristeza?

— Acho que sim.

— A tristeza pode ser nossa aliada. Podemos fazer as pazes com ela e usá-la para nosso bem, como, pelo que vejo, acontece com você agora. Imagino que você estava pensativo porque alguma coisa da sua vida parece ter vindo à tona.

Fernando não respondeu, só se mexeu na poltrona.

— Você não precisa nos contar o que aconteceu. Mas tem a escolha de nos contar, se quiser — disse Mike. — Vamos respeitar suas palavras, assim como seu silêncio.

Fernando permaneceu calado, enquanto ainda olhava para aquele ponto no chão. Os segundos se passavam no relógio de Amanda, que não estava achando aquela situação nem um pouco confortável. Até que Fernando começou a falar baixinho:

— Eu tentei ser jogador de futebol. Quando tinha dezoito anos, eu jogava no time de juniores do América de Minas. Era atacante — disse ele, apertando as mãos. — Em um jogo importante, errei um gol feito quase no fim da partida. Fiquei muito mal, deixamos de ganhar por isso.

Ele fez uma pausa, e Mike não se moveu, só escutou. Amanda se surpreendeu ao sentir seu coração bater mais forte.

— No jogo seguinte, errei um pênalti, e o goleiro tirou sarro de mim. Eu parti pra cima dele e fui expulso. Perdemos o jogo, e o técnico caiu matando em cima de mim. Depois disso, jogar futebol deixou de ser um prazer. Eu só me preocupava em não errar. Quando acertava um passe, era um alívio, mas deixei de arriscar, me sentia engessado jogando. Três jogos depois, o técnico me pôs no banco. Fiquei louco, não conseguia aceitar. O cara que entrou no meu lugar era pior que eu, mas é que eu decaí tanto... Então, resolvi largar o futebol — concluiu Fernando.

Lentamente, ele olhou para Mike, que devolveu o olhar.

— Fernando, imagino como tudo isso deve ter sido difícil pra você. Eu quero agradecer a coragem de compartilhar sua história, esse drama pelo qual você passou. É importante para mim e para o grupo todo — disse ele, enquanto a expressão de Fernando relaxava. — Acho que você está no caminho.

Amanda não reconheceu o Fernando de antes. Parecia que haviam colocado outra pessoa no lugar dele. Mike prosseguiu, falando para todos, um pouco mais devagar:

— Vejam como as coisas funcionam. Eu posso depender de uma referência pra perceber meu valor, gostar de mim mesmo, ou não depender. Essa referência pode ser uma pessoa, um resultado, um papel, um cargo, uma qualidade, como aparência ou inteligência. Tradicionalmente, a aparência tem mais peso para as mulheres, e a performance, para os homens, embora isso venha mudando. Cada vez mais, todos estão preocupados com beleza e performance. Faz sentido pra vocês?

— Pra mim faz muito sentido — disse Alberto. — O que importa, no fundo, é o que pensamos sobre nós mesmos. Mas passei a vida toda buscando aprovação, fosse dos meus pais, da minha mulher, do meu chefe... E sempre me cobrando mais... Queria atender a todas as expectativas. Acho que isso me fez muito mal, inclusive pode ter causado o infarto que sofri.

— Você falou sobre duas coisas importantes, Alberto: agradar aos outros e atender expectativas.

Todos concordaram com a cabeça. Para Amanda, estava ficando cada vez mais claro o roteiro de sua vida. Seu olhar se fixou nas expressões que anotara em seu caderno: orgulho de si, boa aparência, performance, agradar aos outros, expectativas. Tudo para proteger a autoestima, para se sentir bem consigo mesma. Aos olhos dos outros, muitas vezes. Ou para se proteger de críticas porque, afinal, era sensível a elas e ficava muito mal quando julgava seu desempenho fraco ou quando era criticada. Quis saber mais.

— E como se muda isso?

— É pra isso que vocês estão aqui — respondeu Mike. — Vocês vão passar por várias experiências com o intuito de reformular esse padrão. Primeiro, temos que reconhecer o inimigo e não podemos desprezar seu poder. São décadas de vida e de uma cultura que reforça isso a todo momento, desde que somos crianças. Vamos fazer uma pausa?

Mike conduziu-os a uma saleta com paredes de madeira e uma mesa com salgadinhos, doces e bebidas. O cheiro gostoso vinha do chocolate quente. Não havia cadeiras, e Amanda entendeu que era para espichar as pernas mesmo. Tânia puxou papo enquanto se serviam.

— Minha nossa, Amanda, quero só ver como vou sair daqui. Espero que eu ainda queira trabalhar no meu salão de beleza!

— Que coisa, não? Estou achando que tudo o que fazemos na vida é movido pela autoestima...

Carol estava prestando atenção e entrou na conversa.

— Pelo jeito, o Mike deve nos achar muito fúteis, não? Eu trabalho com moda, você, com beleza... E você também, Amanda, já que ajuda as pessoas a emagrecer.

— Endocrinologia não existe só pra fazer as pessoas emagrecerem — contestou Amanda, ainda sem confiar em Carol e em sua aparente segurança. — Tratamos de vários tipos de doença, algumas ligadas à obesidade.

Carol arregalou os olhos e disse:

— Não tive a intenção de ofendê-la, Amanda.

Amanda levou alguns segundos para sair da defensiva e se dar conta de que sua sensibilidade emocional havia sido acionada.

— Desculpe — respondeu, ao perceber que tinha se sentido atacada como médica, na sua autoestima. — Enfim, não sei se Mike nos acha fúteis... Aliás, parece que nunca sei o que vai acontecer neste seminário.

— Eu tenho a mesma sensação. Ele é uma caixinha de surpresas — disse Carol.

— Vocês se sentem julgadas? — Amanda quis saber.

— Na verdade, não — disse Carol. Tânia também negou com a cabeça enquanto atacava mais um docinho.

Paula se aproximou, e Amanda a incluiu na conversa:

— Você estava no caminho certo com a história de aceitação, hein, Paula?

— Pelo menos na teoria. Uma vez entrevistei uma monja, e ela falou muito disso, o que me marcou. Talvez essa percepção tenha vindo daí. No fundo, acho que é algo difícil de colocar em prática.

— Será que ele vai conseguir isso com a gente? — perguntou Carol.

— Ele parece não ter dúvidas de que vai — respondeu Amanda.

Ao perceber Fernando sozinho, Amanda resolveu se aproximar dele. Quando se deu conta, estava colocando a mão em seu ombro e sorrindo enquanto o parabenizava. Ele agradeceu com os olhos, e ela caminhou até a janela para pensar, enquanto admirava o lago e o bosque castigado pelo inverno.

Alguns minutos depois, voltaram para a sala, e Mike reiniciou os trabalhos.

— Tenho a impressão de que todos vocês estão agora no modo autoconhecimento. Esse grupo tem sido um pouco atípico, por isso fiz questão de que a Carol e o Fernando experimentassem algo diferente, não só uma conversa. Vocês se saíram muito bem: se abriram e baixaram a guarda. Quero retomar a história da autoestima frágil, retornando um pouco ao que falamos antes. Afinal, por que há pessoas tão sensíveis ao que os outros pensam ou a eventos que não saem como o esperado, gerando estresse?

Amanda estava esperando uma brecha para dividir o que vinha fervilhando em sua mente.

— Eu me dei conta de que, se minha autoestima está ancorada nos outros, de certa forma eu me coloco na mão deles. Concedo a eles o poder de me legitimar ou não. O resultado é que, se me criticam, isso me destrói. Por isso, essa coisa de agradar e não desagradar. Acho que tento agradar pra ficar com uma espécie de crédito ou não me sentir em débito. Ou seja, também é uma maneira de me proteger e não ser criticada. Na verdade, não sei direito por que ajo assim...

— E como você se sente quando é elogiada, Amanda?

— Muito bem.

— O que mais?

— Valorizada, reconhecida.

— E isso acontece com mais ou menos frequência do que ser criticada?

— Com mais frequência, eu acho.

— Então ficou claro qual é o lado bom desse padrão de ancorar sua autoestima na opinião dos outros?

— Pra curtir os elogios? E, se eu faço tudo direito e agrado aos outros, consigo mais elogios e me sinto bem. Assim, acho que tenho valor. É isso?

— Faz sentido — disse Paula. — Por isso criamos uma dependência emocional dos outros. Porque, se meu valor depende do que essas pessoas pensam de mim, então vou tentar fazer com que pensem bem de mim e me elogiem. No meu caso, sou muito sensível quando criticam minhas ideias ou meu trabalho.

— Cada um tem seus pontos mais inflamados, Paula — disse Mike. — Podemos calcar a autoestima no nosso conhecimento também. Certamente esse era meu caso anos atrás. Mas, enfim, vocês pegaram bem: o lado bom é ser elogiado e se sentir bem com isso. O preço é ficar mais sensível a críticas, rejeições e exclusões.

— Tenho a impressão de que a dor da crítica é maior do que o prazer do elogio — disse Alberto.

— Mais uma razão pra fazer tudo a fim de evitar a crítica e buscar o elogio. Isso que você falou é verdade, Alberto. Quem caracterizou isso muito bem foi um psicólogo israelense chamado Daniel Kahneman. Ele ganhou o Nobel de Economia com estudos que mostram como o comportamento das pessoas é bem menos racional do que imaginamos. Uma de suas descobertas foi que a dor da perda é cerca de duas vezes maior do que a sensação de ganhar alguma coisa. Por exemplo, perder cem dólares na rua gera um sofrimento duas vezes maior do que a alegria de achar cem dólares! Uma palavra-chave na fala do Alberto é "expectativa". Como é a relação de vocês com a expectativa?

— Eu deposito muita expectativa em tudo — disse Tânia — e, quando algo não sai como o esperado, fico muito irritada.

— Eu também — disse Carol. — Se as coisas não saem do jeito que eu imagino, fico muito frustrada.

— Vocês resumiram uma característica importante de pessoas sensíveis: a intolerância à frustração. Nesse caso, a referência é o resultado idealizado, ou seja, a expectativa. Quanto maior a altura da idealização, maior o tombo.

Fernando entrou na discussão:

— Isso é bem forte em mim. No trabalho, tenho metas altas e fico muito mal se não consigo atingir o que me propus.

— No futebol também foi assim, certo? — disse Mike.

— Com certeza.

— Então vejam como é delicado depender somente de referências externas para se avaliar, ainda mais quando a idealização se baseia em padrões muito altos. E como é quando uma pessoa a que você quer agradar diz que você não atingiu o que se esperava? Ou, pior ainda, quando a opinião é de que você foi péssimo?

— Poooou — disse Tânia, imitando uma explosão com as mãos.

Todos riram muito e, quando silenciaram, Mike continuou:

— Eu sei bem o que é isso e presumo pelas risadas que vocês também. As pessoas sensíveis enfrentam um tipo de situação muito interessante: quando fazem algo porque querem agradar a alguém e chamar atenção e não conseguem. Alguém já passou por isso?

Carol respondeu:

— Eu! Quando era mais nova, me arrumava toda para o meu namorado. Roupa nova, maquiagem, cabelo, perfume... E ele passava em casa pra me pegar e não falava nada. Primeiro, eu fechava a cara. Se ele não notasse nem isso, aí eu ficava irritada mesmo. Não tinha como não notar, porque eu jogava na cara dele que tinha me arrumado toda e ele nem aí pra mim.

— E ele aprendeu com o tempo? — perguntou Alberto.

— Não deu tempo, logo terminamos. Ele era legal e eu gostava dele, mas não me sentia valorizada.

Amanda comentou em seguida:

— Eu lembro que perguntava sempre pra minha mãe se eu estava bonita antes de sair. Mesmo depois de adulta, fiz isso algumas vezes com meu ex-marido. Eu precisava da confirmação de outra pessoa.

— Eu ficava chateada quando meu editor não fazia nenhum comentário sobre meus artigos. Depois de ficar um bom tempo trabalhando em um texto, vinha no máximo um "beleza", que eu sabia que era pra me descartar, pois ele sempre tinha mais o que fazer.

— Esses são ótimos exemplos — disse Mike. — Antes da última atividade, vou mostrar pra vocês o vídeo de uma palestra da pesquisadora e escritora americana Brené Brown.

Mike ligou a tela, e todos prestaram atenção ao vídeo. Amanda não conhecia essa pesquisadora, mas achou sua palestra cativante. Brené falava sobre vergonha e sobre como foi importante para ela se tornar vulnerável em vez de se esconder. Para ela, a maior coragem que uma pessoa pode ter é se mostrar como é. Daí a importância de se apropriar da própria história. Outro ponto valioso dizia respeito à diferença entre vergonha e culpa: temos vergonha de algo que *somos* e sentimos culpa por algo que *fazemos*. Portanto, a vergonha tem um impacto mais amplo e profundo. Todos ficaram grudados no vídeo.

Mike desligou a tela e disse:

— Reflitam sobre o que ouviram e percebam o que estão sentindo. Fechem os olhos, deixem o pensamento um pouco de lado e tomem consciência de como isso se expressa no corpo de vocês.

Amanda sentia uma expansão no peito, uma vontade de se abrir e ser verdadeira.

Mike continuou:

— Agora, vamos usar o maior antídoto que existe para a vergonha: abrir o baú e mostrar o que nos envergonha. No fim de cada dia de seminário, vamos fazer esse ritual. Cada um vai falar alguma coisa de que sente vergonha. E os outros vão ouvir, simplesmente ouvir, sem julgar. A ideia é criarmos um pacto de reciprocidade. Se todos nós expusermos alguma intimidade, não faz sentido apontar o dedo pra ninguém. Hoje, o importante é quebrar o gelo. Não precisa ser nada muito grande. Espero que a cada dia possamos abrir segredos mais escondidos e, assim, curar nossas vergonhas mais profundas.

Não se ouvia nada na pequena sala do Castelo de Evelix. Lá fora, o vento assobiava. Amanda estava esperando Mike perguntar se todos concordavam com seu pedido, mas ele fez algo inusitado.

— Vamos respirar profundameeente — disse, levantando os braços e os ombros. — Assim. Aaaaaaaah.

— Aaaaaaaah — imitaram todos, rindo, nervosos.

— Eu começo, e depois cada um segue na hora em que se sentir à vontade. Eu tinha uns quinze anos e estava em casa sozinho. Um amigo havia me emprestado a *Playboy* em cuja capa havia uma morena deslumbrante de olhos claros chamada Jo Collins. Ela foi a coelhinho de 1965. Acho que ela me marcou tanto por causa do nosso sobrenome em comum; eu fantasiava que ela era minha prima. Eu cheguei em casa com a revista e fui para o meu quarto, onde havia uma janela que dava para o jardim. Estava numa excitação frenética folheando aquelas páginas, me lembro até do cheiro da revista. Comecei a me masturbar, só que me esqueci de fechar a cortina. Estava com os olhos vidrados na Jo Collins quando ouvi alguém batendo na janela. Dei um pulo da cama, a revista saiu voando e vi minha avó com um bolo na mão, os olhos grudados na janela e uma cara de espanto.

Amanda tentou se conter, mas caiu na risada, o que liberou a gargalhada dos demais.

— *Fuck*, gritei, apavorado! Senti uma lava ardente subindo pelo pescoço até o rosto, já em pé, puxando a bermuda pra cima. Ela disse: "*Open the door, Mike!*" Tentei me recompor e fui abrir a porta. Parecia que estava indo para a cadeira elétrica. Ela mal me cumprimentou, me entregou o bolo e foi embora. Acho que ficou tão envergonhada quanto eu. Por semanas, senti um nó na barriga cada vez que via minha avó, mal olhava pra ela. Vocês conseguem imaginar o que eu passei a pensar sobre mim?

— Você deve ter se achado um tarado, um pervertido.

— Obrigado pela clareza, Alberto! Aos quinze anos, mesmo na Califórnia dos anos 1960, não foi fácil. Bem, agora é com vocês.

Amanda estava começando a se acostumar com o jeito de Mike. Se ninguém falasse, ele ficaria horas esperando, calmamente. Parecia tão à vontade na própria pele! Então ele tinha mesmo sessenta e oito anos, suas contas estavam certas. *A idade deve tê-lo ajudado a ser tão paciente*, pensou. Tânia interrompeu seus devaneios.

— Eu lembro uma vez, com uma cliente. Eu era manicure na época e atendia em domicílio. Na hora de cobrar, ela me deu o dinheiro com uma nota que cobria o dobro do preço do serviço. Eu vi, fiquei quieta e guardei o dinheiro. Eu dava um duro danado, e ela era uma madame, embora me tratasse bem. Fiquei remoendo sobre aquilo algumas horas. Me arrependi, mas acabei usando o dinheiro. Acho que me justifiquei pensando que não fazia falta pra ela. Lembro que, nas vezes seguintes, eu caprichei mais na unha dela pra compensar. Nunca contei isso a ninguém.

O clima deixou de ser divertido, mas a franqueza dela foi bem recebida.

— Obrigado, Tânia — disse Mike, olhando para ela.

Amanda achou que ele ia dizer algo para aliviá-la da culpa, porém ficou somente olhando para ela, e Tânia devolveu o olhar.

— Eu vivi uma situação um pouco parecida no trabalho — engatou Paula. — Precisava fechar uma matéria e liguei pra uma fonte. Existem técnicas pra induzir o entrevistado enquanto fazemos as perguntas, só que ele nunca falava o que eu precisava que ele falasse. Acabei distorcendo um pouco as palavras dele. Não houve repercussão nenhuma, pelo que sei. Era um detalhe. Mas fiquei com a consciência pesada.

— Obrigado, Paula.

Mike olhou para todos, levantou os ombros e os braços inspirando profundamente e soltou outro "aaaaaaah" enquanto baixava os braços. Todos entenderam e respiraram juntos. Amanda estava achando graça do jeito dele de tornar o ambiente mais leve.

— Eu criei um perfil *fake* pra dar em cima de um namorado em uma rede social — disse Carol, com as pernas cruzadas protegidas por botas pretas de cano longo. — Mencionei uma amiga em comum, e ele aceitou minha solicitação de amizade. Deixei algumas mensagens dando mole pra ele, mas ele não respondeu. Ele nem sonha que fiz isso.

— Agradecemos sua sinceridade, Carol — disse Mike, enquanto o semblante dela se tornava mais suave.

Amanda estava em dúvida sobre o que contar. Queria muito poder se expor, mas algo a impedia. Reparou que foi a única mulher a não ter falado. Alberto se antecipou:

— Eu deixei de tomar um remédio para a pressão e não falei para o médico. Tinha lido na bula que podia prejudicar a ereção e, como o brinquedo estava preguiçoso, não tive dúvidas.

Mike começou a rir.

— O brinquedo estava preguiçoso! Adorei essa expressão, Alberto! E a pressão, como ficou?

— Ficou normal! Acho que foi o exercício físico — respondeu ele, com malícia.

— Muito bom! — disse Mike, sorrindo.

Fernando emendou:

— Eu já contei uma coisa que me envergonhou bastante, aquela sobre o futebol.

— É verdade — respondeu Mike, tentando ficar sério.

— O que eu não contei desse episódio foi que o goleiro me deu uma dedada, e eu fui pra cima dele.

Dessa vez, a gargalhada foi geral.

— Minha carreira acabou naquela dedada! — completou Fernando, fazendo Mike se curvar de tanto rir.

Levou um minuto até todos silenciarem, e os olhos se voltarem para Amanda.

— Minha história não é engraçada — disse para Mike, que levantou os ombros para dizer que não importava. — Eu tomei a decisão de me casar com Carlos, meu ex-marido, consultando uma cartomante. — Sentiu suas bochechas esquentarem e olhou para baixo. — Não foi uma boa ideia, pelo jeito.

— Esse é o tipo de reação que estamos procurando, Amanda — disse Mike para ela; depois, olhando para o grupo, prosseguiu: — Só faltou acrescentar uma coisa. Vamos tentar, dentro do possível, não nos julgar. Quero que reflitam sobre o que causou vergonha em vocês, em relação ao que vocês são ou eram na época. No meu caso, me senti envergonhado em relação a meu desejo sexual, a me masturbar, e pensei ser inadequado, impuro. Contando parece engraçado, mas levei alguns meses até voltar a me masturbar sem esse peso. Cada um faça sua reflexão, ok? Bem, acho que encerramos por hoje. Alguma dúvida?

— Sim — disse Paula. — Eu gostaria de saber mais sobre algumas coisas que você falou hoje, como essa história de processamento de memórias dolorosas.

— Vamos explorar isso nos próximos dias, Paula, e você vai poder experimentar técnicas avançadas. Vocês têm um pouco mais de duas horas até o jantar, às sete e meia. Até lá.

Mike se retirou e deixou os participantes à vontade. Tânia estava toda animada comentando sobre o primeiro dia do seminário, mas Amanda não estava para muita conversa. Já era noite, e ela só conseguia pensar em entrar na banheira. Fez de conta que escutava o que a colega dizia enquanto lentamente caminhavam até o hall e depois subiram as escadas. Gostaria de dizer que não queria conversar, mas não queria ser rude. Então, seguiram até que ela abriu a porta do seu quarto e disse:

— A gente se vê no jantar?

Fechou a porta, abriu a torneira da banheira, fez xixi e se atirou com os braços abertos na cama fofa. Puxou o edredom de penas e se cobriu. Era como se uma enorme galinha a abraçasse. Ficou ali um pouquinho, relembrando o dia. Estava contente de ter conseguido ser transparente em vários momentos, o que era raro para ela no dia a dia ou mesmo com seus pais. Aquela história de vulnerabilidade parecia fazer sentido.

Tirou a roupa e mergulhou na água quente. *Da galinha para o útero*, pensou. Como adorava água... Assim que relaxou, voltou a pensar no seminário. Já não estranhava mais seus colegas; até passou a gostar mais deles depois que revelaram alguns segredos. Lembrou-se de sua confissão sobre a cartomante. Que vergonha! Não tinha dúvida de que era esse o sentimento. No vídeo, a palestrante disse que temos vergonha de algo que somos. O que seria, no caso dela? Ela não era convicta do que queria? Não, não era bem isso. Era fraca? Talvez. Era cagona mesmo. Sentiu o peso da verdade retumbar no peito. Era essa sua vergonha, porque fora uma cagona na hora de decidir sobre sua vida. Não se achava uma pessoa medrosa em geral, então por que teria feito isso? A resposta não veio, porém Amanda percebeu que estava mais leve por ter falado sobre isso para todos. Ou seria porque Mike alertou para não nos julgarmos? Talvez as duas coisas. Sabia mesmo é que aquela banheira estava gostosa... Até que o sono chegou.

Dessa vez, acordou a tempo de se arrumar e chegar antes de o jantar começar. Encontrou Mike e Fernando sentados no bar perto do hall de entrada. Aproximou-se deles, e Fernando perguntou se ela queria uísque. Declinou, mas ele insistiu que experimentasse aquele puro malte. Acabou aceitando um copo e se sentou no banquinho ao lado de Mike. Não achou nada de mais na bebida, mas tomou pequenos goles. A conversa girava em torno da Escócia e do que havia para fazer. Fernando exibia seus conhecimentos sobre o que tinha lido. Parecia ter voltado ao que era antes. Mike só curtia o momento, pouco preocupado em interagir. Paula apareceu no hall, e Mike se levantou, dizendo que estava na hora de comerem. Amanda deixou seu uísque pela metade no balcão.

— *Emily, my dear!* — disse Mike, assim que pisaram na sala de jantar.

Lá estava a cozinheira ajudando a arrumar a mesa. Apresentou-a a todos. Era uma senhora gordinha, de rosto rosado e lábios finos, que não escondeu a alegria em estar ali.

— Hoje teremos pato com purê de batatas e o *gravy* especial da Emily!

Em seguida, a comida foi colocada no centro da mesa, e todos se serviram. O pote do *gravy* marrom circulou, e o clima tornou-se mais familiar. O aroma da pele do pato tostada perfumou a sala.

Depois de alguns minutos preenchidos com comentários sobre o sabor do molho de Emily e a textura do pato ao derreter na boca, Alberto puxou conversa com Tânia.

— Estou intrigado, Tânia. Você me parece tão à vontade, tão alegre. Não consigo encaixá-la nesse seminário de autoestima.

— Olha, Alberto, ser negra e ter sido pobre não são coisas que passem sem marcas na vida. Que bom poder desfrutar desse castelo, dessa comida e dessa oportunidade de olhar mais pra mim. No salão, meu foco fica só em cuidar dos outros.

— Vocês já pararam pra pensar em quanto gastamos com necessidades básicas em comparação com o que se gasta pra manter a autoestima? — perguntou Fernando, sem tirar os olhos do prato.

— Graças a Deus que gastam, Fernando, senão eu estaria sem trabalho! — disse Tânia, arrumando seu coque.

— Não é à toa que cada vez mais profissionais da saúde se voltam a procedimentos estéticos — pontuou Amanda, com vaidade.

— Hum, e como é isso na sua prática médica, Amanda? — Mike quis saber.

Amanda engoliu em seco.

— Na minha área, chegam cada vez mais pacientes que já vêm querendo tal remédio pra emagrecer que viram na internet. Muitas vezes não há necessidade, mas ficam pressionando, que "só querem perder uns cinco quilinhos".

— E você prescreve os remédios? — perguntou Paula.

Conversar com um terapeuta e uma jornalista juntos não estava nada confortável. Resolveu baixar a guarda.

— No começo, eu resistia bastante. Mas cada vez mais tenho prescrito — disse baixando o olhar.

Enquanto Mike e Paula olhavam para ela, completou:

— Acho que é preguiça, minha e dos pacientes.

— Nos tempos atuais, tudo tem que ser fácil e pra ontem — disse Paula.

Carol entrou na conversa:

— Meu ex-namorado também trabalha bastante em função da autoestima das pessoas. Ele está fazendo residência em cirurgia plástica.

Amanda respirou mais aliviada ao sair de cena com a intervenção de Carol.

— O Brasil e o Estados Unidos são os campeões em número de cirurgias plásticas — disse Paula. — Se levarem em consideração o poder aquisitivo dos dois países, o Brasil fica de longe em primeiro lugar. Quando se analisa o número de cirurgias plásticas por habitante, a Coreia do Sul está na frente.

Mike se interessou.

— Tem algum tipo de cirurgia mais comum em um país ou no outro?

— Silicone nas mamas, lipo, pálpebra e nariz são as cirurgias mais comuns. Proporcionalmente, as americanas fazem mais aumento de mamas, e as brasileiras, aumento de glúteos e redução dos lábios menores da vagina.

— Isso é um problema? — perguntou Fernando.

— Pelo jeito, é — respondeu Paula.

O conhecimento de Paula impressionou Amanda e a deixou com um leve sentimento de inferioridade. Afinal de contas, ela que era médica.

— Se a pessoa se sentir desconfortável com isso, é um problema, sim — disse Amanda, com a voz fraca. — Tem a ver com autoestima, certo, Mike?

— Se a autoestima está calcada nesse atributo físico, que geralmente está associado com a crença de ser "defeituosa" ou "indesejada", sim. — Cruzou os talheres e olhou para o relógio. — Gente, o papo está ótimo, mas amanhã vai ser um longo dia. Descansem. Ah, vocês ainda têm uma pequena tarefa à espera no quarto. Até amanhã às nove horas em ponto, por favor!

Mike se retirou. Carol e Paula começaram a reclamar da falta do celular, e Carol também estava chateada que o castelo não tinha academia. Amanda estava introspectiva. Ainda se sentia mexida com tudo o que havia acontecido ao longo do dia e ficou curiosa para saber o que a esperava no quarto. Despediu-se e subiu. Ao entrar, viu um envelope junto a um bombom com uma pequena nota que dizia "Boa leitura". Arrumou-se em poucos minutos, programou o despertador para o dia seguinte e encostou-se para ler o material.

De peito aberto

O conteúdo que trabalharemos no seminário tem várias fontes. As mais importantes vêm de questões que enfrentei com minha própria sensibilidade emocional e de experiências que obtive a partir do uso de diversas técnicas que ajudaram em meu crescimento pessoal. Mesmo depois de formado em Psicologia e de ter me tornado um pesquisador respeitado na área, deparei com o fato de que a minha autoestima era... bem mais frágil do que eu imaginava. A vida não deixou por menos e, como boa professora que é, me fez beijar a lona. Meu processo de recuperação, que começou trinta anos atrás, me ensinou o que não aprendi na faculdade nem nos livros. A partir desse ponto de virada, vi que até então estava mais preocupado com cumprir um papel do que com ser eu mesmo. Então, passei a estudar e aplicar essas técnicas em mim e nos meus pacientes.

Cerca de vinte por cento das pessoas têm problemas consideráveis com autoestima baixa e cerca de cinquenta e cinco por cento (!), com a falta de autoestima, um fenômeno bem menos reconhecido. É essa falta de autoestima que leva ao excesso de sensibilidade emocional. Não estamos falando de sensibilidade como empatia ou percepção de sutilezas, mas como suscetibilidade a adversidades. Não é preciso ter todas as características descritas a seguir, mas quem tem muita sensibilidade emocional tende a:

- se magoar facilmente;
- ter baixa tolerância à frustração;
- reagir mal às críticas, mas se envaidecer com elogios;
- ser mais suscetível ao estresse e a situações traumáticas;
- lidar mal com rejeição, exclusão e abandono;
- ficar remoendo por horas ou até dias depois de algum conflito;
- se sentir carente e buscar aprovação;
- depender emocionalmente dos outros;
- se culpar e se criticar demais;
- temer um possível abandono;
- querer agradar aos outros, ou pelo menos não desagradar;
- ter dificuldade de dizer "não".

O inverso da sensibilidade emocional é a resiliência, um conceito cada vez mais difundido. Pessoas resilientes toleram bem a pressão e as adversidades, tanto as oriundas de atritos interpessoais quanto aquelas resultantes de eventos estressantes. Pouca gente se dá conta é de que a base da resiliência é a autoestima.

Nenhum conceito é mais importante do que o que temos sobre nós mesmos. O que pensamos de nós define grande parte de nosso destino. Existe algum aspecto importante da nossa vida que não tenha relação *com a autoestima? Sua influência pode ser sentida em diversas circunstâncias do cotidiano, como no feedback de um chefe, numa apresentação oral na faculdade, no post do(a) ex na rede social, na escolha de uma roupa ou de um carro, de um celular que se pretende comprar... Ela também é central em situações mais sérias, como o medo de se relacionar intimamente, a incapacidade de se projetar em uma profissão, bem como em quadros de depressão, instabilidade de humor, abuso de álcool e drogas, atos de violência e suicídio.*

O presente mais valioso que só nós podemos nos dar é genuinamente reconhecer nosso próprio valor. Ao contrário do senso comum, o essencial não está na noção de se sentir especial ou acima da média, ou até mesmo de ser especial ou acima da média. A base da autoestima está no "auto": é o que pensamos sobre nós mesmos; é a possibilidade de nos legitimarmos, cientes das nossas limitações e das nossas imperfeições. Mas o melhor dessa caminhada é a descoberta de quem realmente somos. Lá no fundo.

Uma boa autoestima é frequentemente confundida com confiança excessiva ou arrogância, que são características relacionadas à falta de autoestima honesta, não à sua abundância. Uma avaliação muito positiva e superficial de si mesmo está mais para autoengano do que para autoestima — e também cobra seu preço quando nos chocamos com a vida real. Na autoestima alta, a necessidade de se avaliar positivamente é tão grande que pode levar uma pessoa a distorcer o pensamento, a fingir ser quem não é, a criar uma ilusão de si. Tudo para não se sentir incapaz e vulnerável. Quem age assim muitas vezes tem também autoestima frágil, fenômeno cada vez mais comum nestes tempos de redes sociais e fotos expostas diariamente. Quantos são capazes de não se importar se aparecem bem em uma foto ou não?

Quem tem a autoestima sadia não precisa ser mais do que outros nem precisa provar seu valor. Sente-se bem consigo mesmo, o que é suficiente. A alegria está em ser quem se é, e isso basta para estar essencialmente satisfeito com a vida. A felicidade dessa pessoa não é pautada pelas circunstâncias do cotidiano nem pela opinião dos outros. Tampouco é definida pelos resultados das suas ações, e sim pela maneira como se envolve nas atividades que fazem parte do seu dia a dia.

A autoestima é o pilar central da personalidade. Por isso, é tão necessária para uma vida que valha a pena ser vivida, assim como a coluna vertebral é necessária para ficarmos de pé. Sobre a autoestima, apoiam-se várias outras características da personalidade. A percepção de nós mesmos permeia praticamente todas as nossas reações e os nossos comportamentos. Se interpretamos algo como contra ou a favor do que acreditamos, como uma ameaça ou uma oportunidade, essa interpretação parte automaticamente da noção de "eu" que carregamos. Isso se dá em uma fração de segundo e de forma inconsciente na maioria das vezes. Portanto, não é de surpreender que uma autoestima inadequada esteja ligada a más escolhas nas relações afetivas, a uma carreira que não deslancha, a projetos idealizados que de alguma forma são sabotados, ou a uma dificuldade de desfrutar dos êxitos. Uma das coisas mais práticas para a saúde emocional é reforçá-la, pois os efeitos positivos se alastram nas mais diversas áreas da vida. Sua presença não garante felicidade, contudo sua falta está sempre ligada a algum grau de mal-estar e frustração.

A autoestima fortalecida confere resiliência, força e maior capacidade de regeneração. As pauladas da vida terão que ser bem maiores para nos derrubar. Como não temos controle total sobre os eventos — amanhã pode acontecer de sermos atropelados, demitidos, ofendidos publicamente ou deixados pela pessoa amada —, estaremos, pelo menos, mais bem equipados para lidar com os desafios que surgirem.

Graças a muitos estudos, hoje temos uma boa ideia dos acontecimentos que podem atrapalhar ou reforçar a autoestima ao longo da vida. Mais do que isso, nas três últimas décadas houve descobertas na psicologia e nas neurociências do comportamento que possibilitam modificar memórias dolorosas de modo rápido, profundo e *permanente. Nas neurociências, esse fenômeno, chamado de "reconsolidação da memória", foi descrito em 2000, e desde então centenas de artigos a respeito foram publicados. Na psicologia, começou mais cedo. Nas décadas de 1980 e 1990, houve grande avanço na área de processamento e resolução de traumas. Tanto é que o transtorno de estresse pós-traumático, a "doença do trauma", comum em ex-combatentes de guerra e em pessoas que passaram por tragédias pessoais, costuma ser resolvido em quatro a seis sessões, na maioria dos casos, sem o retorno dos sintomas. Vão embora inclusive sintomas de depressão, ansiedade e insônia.*

Ora, se descobrirmos os eventos que afetaram negativamente a nossa autoestima e formos capazes de processar essas memórias danosas, estarão criados os elementos para uma revolução pessoal. Trata-se de se apropriar da história pessoal. As partes fragmentadas por adversidades e dramas vividos integram-se em nosso interior.

Nunca fomos tão capazes de mudar nossa mente. A barreira não é mais a do conhecimento, e já faz tempo que o tempo não é mais o melhor remédio para as dores. Não precisamos mais ser vítimas das circunstâncias. Não que os ganhos venham de graça. Eles requerem uma boa dose de esforço, mas são altamente recompensadores para quem quiser e souber trilhar os caminhos mais eficientes.

Então, quais são as barreiras que precisam ser superadas? A negação, a falta de consciência dos problemas, a falta de honestidade em admiti-los e a dificuldade de assumir a responsabilidade em ser o agente da própria evolução pessoal. Com o crescente estímulo ao narcisismo na nossa sociedade, é cada vez mais difícil encararmos nossas imperfeições. Felizmente, o fato de você estar lendo este texto agora é um sinal de que essas barreiras não serão grandes empecilhos para seu crescimento pessoal.

Parabéns! Pouquíssimas pessoas têm a humildade de olhar para dentro, a curiosidade de investigar os recantos da mente e a coragem de trilhar o caminho para evoluir. Quem se entregar ao processo terá o retorno que merece. Da minha parte, asseguro meu empenho para que você se torne a melhor versão de si mesmo e, quem sabe, também me transforme junto nessa caminhada.

Boa noite!
Mike

Amanda leu e releu o texto. Era muita coisa para absorver àquela hora da noite. Ainda estranhava tamanha confiança nos resultados. Sua terapeuta sempre era evasiva quanto a isso. Só torcia para que o seminário não fosse um engodo, porque dar tempo ao tempo de fato não vinha se mostrando um bom remédio para ela. Depois de um ano passando a vida em preto e branco, uma fagulhinha de esperança se acendeu em seu peito. Por outro lado, começou a de desconfiar que o buraco seria bem mais embaixo.

DIA DOIS

surpresa

UMA VOZ IMPOSSÍVEL DE ENTENDER invadiu o sonho de Amanda. Ela vagava por uma rua desconhecida, e um homem caminhava a seu lado. Os dois pouco interagiam. Andavam a certa distância um do outro, sem saber aonde iam. Não era desesperador, mas também não era agradável. Aquela voz masculina e um tanto excitada não vinha dele. Virou-se para um lado e agarrou-se no travesseiro, e a voz continuava a persegui-la, vinda do nada. Abriu os olhos atordoada e levou alguns segundos para lembrar que estava no quarto do pequeno castelo. A voz frenética vinha do rádio-relógio. Inglês com sotaque escocês, com o habitual entusiasmo dos locutores.

No banheiro, ficou algum tempo se olhando no espelho e pensando sobre o que Paula falou. Sempre considerou o espelho um aliado que a ajudaria a "ficar bem na foto". Quem não gosta de sair bem na foto? Ela gostava. Detestava suas fotos de adolescente desengonçada e espinhenta. Não era nenhuma modelo, mas tinha um rosto interessante, atraía alguns olhares. Cuidava do corpo e gastava bastante com ele também. Contabilizando tudo o que investira para sustentar sua autoestima, entre pequenos e grandes gastos, o que ganhou em anos de plantões não pagaria a conta, concluiu, enquanto passava creme no rosto.

Uma nesga de claridade a fez abrir a cortina. O dia estava raiando cinzento, mas claro. Virou-se para a esquerda. Estava sendo vigiada pelos olhos curiosos de um esquilo ruivo. Fazia movimentos breves com o rabo peludo, em posição de sentido. Ela lamentou não estar com o celular para tirar uma foto. Ele certamente não se importaria se seu rabo estivesse torto ou reto. Outro esquilo se aproximou rapidamente, os dois se cutucaram e saíram correndo. Tinham graça sem fazer esforço. Era hora do café.

Deu bom-dia para o sorridente David na recepção e seguiu para a sala de refeições. Paula estava sentada, e logo depois chegou Mike da cozinha com um pequeno prato fundo na mão. Explicou que adorava o mingau de aveia que Emily preparava e perguntou se Amanda queria. Ela achava que mingau era coisa de criança, mas Mike não era exatamente uma criança.

— Eu recomendo — reforçou ele, entre uma colherada e outra, sem olhar para ela. Parecia um menino. Ela aceitou, e ele se dirigiu rapidamente para a cozinha. Alguns segundos depois, voltou, feliz por ter conquistado uma parceira de mingau. Amanda provou: era quentinho, uma delícia. Lambeu os lábios e emitiu um pequeno gemido. Eles riram. Paula ficou curiosa e foi até a cozinha.

— Comportamento de manada — disse ele.

— Ela ficou em minoria — respondeu Amanda.

Paula chegou com sua tigela cheia, seguida por Emily, achando graça. Começou a falar com Mike. O inglês de Amanda só captava metade daquele sotaque, mas ela entendia Mike. Emily saiu orgulhosa e risonha enquanto ele raspava o prato. Então, ele traduziu para as duas, que o olhavam atônitas, o que ela havia dito:

— Não sei se vocês entenderam bem... Ela contou que os escoceses são cheios de energia, obstinados e generosos porque comem bastante aveia. Os ingleses brincam que, na Inglaterra, eles dão aveia aos cavalos e que na Escócia a aveia sustenta o povo. Os escoceses retrucam que é por isso que a Inglaterra é conhecida pelos seus cavalos, e a Escócia, pelo seu povo! Humor britânico... Com licença, vou preparar algumas coisas antes de começarmos. Espero vocês na sala.

Os demais chegaram logo depois, quando Paula e Amanda já tinham acabado o mingau. As duas receberam olhares de desconfiança ao sugerirem o mingau de aveia. Foi o suficiente para resolverem ir para a sala e ocuparem as respectivas poltronas.

— O que você achou do texto? — perguntou Amanda, baixinho.

— Não sei bem o que dizer. Acho que vem chumbo grosso hoje — disse ela, inclinando-se. — Será que ele é freudiano? Que tudo são traumas de infância e a culpa é da mãe?

Mike saiu, e elas ficaram mais à vontade.

— Impossível. Os psicanalistas nunca expõem nada da sua vida pessoal.

— Isso chamou a minha atenção também. Ele contou a história da avó ontem e ainda teve a carta. O que será que aconteceu pra ele "beijar a lona", como ele mesmo disse?

— Não sei, mas deve ter sido uma reviravolta na vida dele. Pelos meus cálculos, quando isso aconteceu, ele estava com a mesma idade que estou agora, trinta e sete.

— Estou curiosa pra experimentar essas técnicas de que ele fala. É difícil de acreditar que dê pra limpar as lembranças ruins.

Seus colegas entraram, e Mike fechou a porta da sala.

— Nove horas, ótimo! Conseguiram ler o material ontem? Então, vamos direto ao ponto. Quero começar compartilhando alguns dados com vocês, mas, antes, por favor, reflitam sobre as três afirmações que vou projetar na tela. Vocês devem comentar de acordo com os acontecimentos da vida de vocês utilizando uma destas cinco opções: nunca, poucas vezes ou a menor parte do tempo, às vezes, muitas vezes ou a maior parte do tempo, ou sempre. Podem anotar essas opções no caderno, se quiserem. Não será necessário mostrar suas respostas pra ninguém, portanto, sejam sinceros. Aqui vão elas.

Mike ligou a tela.

Enquanto eu crescia...

Eu me sentia amado.

Pessoas da minha família disseram coisas que me machucaram ou ofenderam.

Eu apanhei com cinto, corda, vara ou outros objetos que me machucaram.

Aquelas frases pegaram Amanda de surpresa. Sentiu-se amada quando criança? Achava que sim. Não sempre, mas a maior parte das vezes. Pensando bem, tinha sido bem cuidada pela mãe, mas no sentimento parecia que faltava alguma coisa. Amor mesmo, foi menos do que gostaria. O pai era fechado e trabalhava muito. Marcou "às vezes". Quanto à segunda afirmação, não se lembrava de ser claramente ofendida, mas sua mãe algumas vezes disse que estava gorda e que por essa razão nenhum rapaz ia querer ficar com ela. Ah, odiava quando ela a comparava com sua irmã mais nova ou quando falava pra botar um sorriso na cara nas festas de família. Ela não gostava muito de estar com tios e primos, achava tudo aquilo um tédio. Marcou "às vezes" também nessa afirmação, sentindo um leve aperto no peito. Bem, pelo menos nunca apanhou com nenhum objeto nem levou palmadas, graças a Deus.

Mike deu prosseguimento quando viu que todos acabaram.

— Muito bem, agora vocês verão um gráfico mostrando os comentários em reação a essas afirmativas feitos por cerca de cinquenta mil brasileiros de forma anônima pela internet. Estes são os dados em porcentagem sobre sentir-se amado.

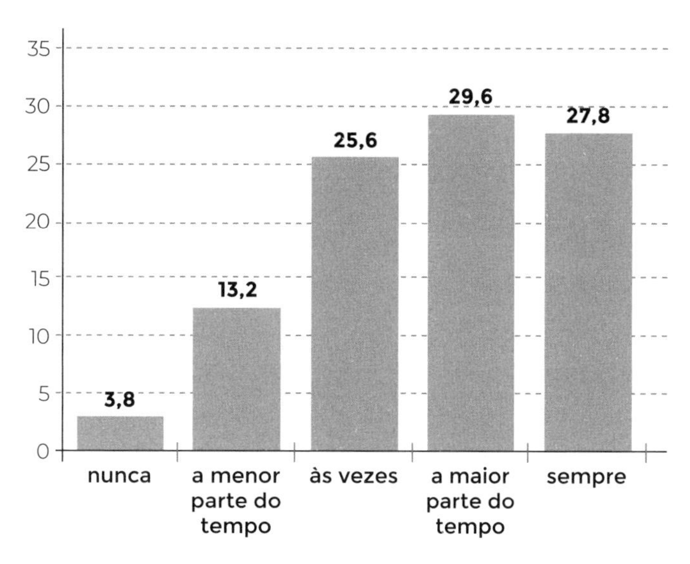

Porcentagem de respostas relativas à afirmação "Enquanto eu crescia, eu me sentia amado".

— Ah, a maioria se sentiu amada, então? — concluiu Tânia.

— À primeira vista, sim. Mas, se olharmos bem, somente vinte e oito por cento se sentiram amados sempre e mais de quarenta por cento se sentiram amados às vezes ou menos do que isso.

— E de que modo isso afeta a autoestima? — Alberto quis saber.

— Aí é que está o problema. A queda é grande pra cada resposta mais negativa. Em um ranking de zero a dez, quem sempre se sentiu amado teria 9 de autoestima; a maior parte do tempo, 7,5; às vezes, 6; a menor parte do tempo, 4,5; e nunca, 3.

Seis? Comecei mal, concluiu Amanda.

Mike continuou:

— Existem diferentes maneiras de expressar o amor em casa. Muitos pais cuidam bem dos filhos quanto a saúde, comida, educação, mas não tanto no afeto e no contato corporal. Outros são o contrário. Depende muito da cultura e do jeito como os pais foram criados.

Realmente, pensou ela, reconhecendo que a distância afetiva foi o que a fez não marcar "a maior parte do tempo". Isso queria dizer que não estava no modo de autoproteção, que podia enxergar o que não era tão lindo assim.

— Vamos para a afirmação seguinte, sobre a frequência com que pessoas da família disseram coisas que nos machucaram ou ofenderam.

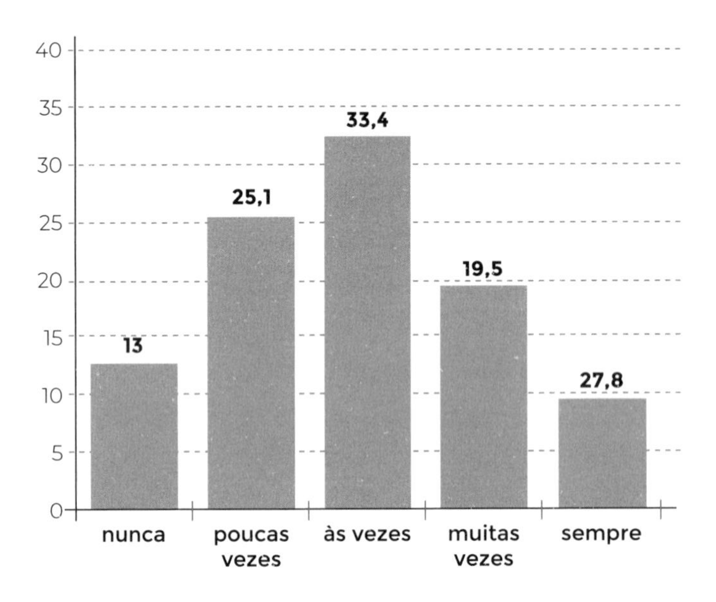

Porcentagem de respostas relativas à afirmação "Pessoas da minha família disseram coisas que me machucaram ou ofenderam".

Paula se adiantou:

— Pelo que sei, essa é uma distribuição normal, mais ou menos como é o peso na população geral.

— É verdade, Paula, esse é um conceito importante de estatística.

— Jornalistas são conhecidos por saberem um pouco de tudo, mas muito de nada! — brincou ela.

Amanda se encaixou bem na média. Menos pior do que a pergunta anterior, pelo menos.

— Aqui também ocorre o mesmo naquela relação com um ranking de zero a dez. Ou seja, uma minoria nunca se sentiu machucada por algo que foi dito na própria família. É claro que o peso do que a mãe ou o pai falam é bem maior do que o peso relativo a um irmão ou uma irmã.

Seis de novo! Humpf! E com a mãe, ainda por cima. Felizmente, o melhor estava por vir — afinal, os pais nunca encostaram a mão nela, muito menos uma vara ou um cinto!

— Agora vou mostrar a estatística sobre castigos físicos com algum objeto.

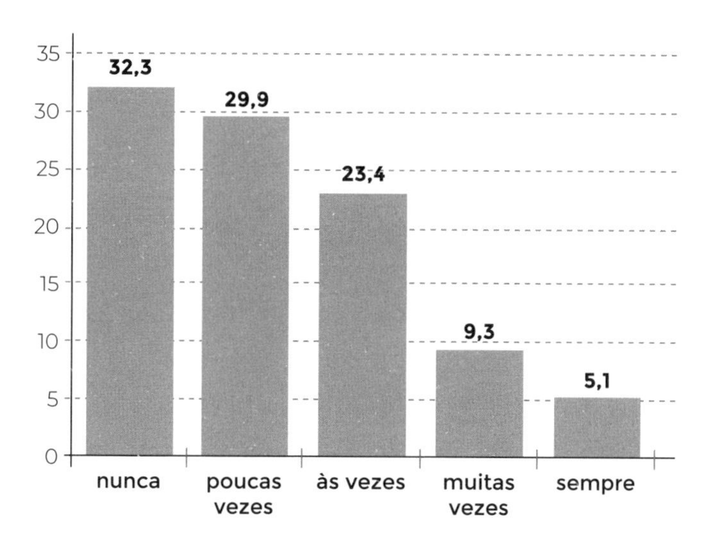

Porcentagem de respostas relativas à afirmação "Eu apanhei com cinto, corda, vara ou outros objetos que me machucaram".

Foi a vez de Amanda se manifestar:

— Que coisa, menos de um terço das pessoas nunca apanhou com algum objeto! Meus Deus, em que mundo vivemos?

— E tem mais: entre aqueles que nunca apanharam com algum objeto, cerca de um em cada quatro nunca levou palmadas. Ou seja, só sete por cento das pessoas disseram nunca ter apanhado em casa de alguma forma.

— Ufa, pelo menos nisso sou uma dessas pessoas! — disse, aliviada.

Ninguém falou nada até Mike intervir:

— Presumo que os demais tenham passado por essa experiência. Gostaria de propor uma reflexão para vocês: lembrem-se disso, de ter recebido um castigo físico ou até mesmo de ter levado uma surra. Agora avaliem se isso foi negativo, neutro ou positivo pra vocês.

Amanda começou a sentir pena de seus colegas. Sentia-se privilegiada nesse sentido. Achou que Mike não precisava ser tão duro.

— Muito bem, quem acha que foi neutro? — Paula e Carol levantaram a mão.

— Quem acha que foi negativo? — Ninguém se manifestou.

— E positivo? — Foi a vez de Tânia, Fernando e Alberto levantarem as mãos.

Amanda não estava acreditando. Como assim?

— Interessante, não? — observou Mike. — Já fiz essa pergunta a milhares de pessoas. Quem sente o castigo físico como algo negativo é porque não sabia o motivo pelo qual estava apanhando. E, nesses casos, os pais são nocivos com as palavras também. Quem apanhou porque aprontou raramente interpreta essa atitude como negativa, mas sim como a tentativa de impor "limites".

— Eu sinto que foi bom pra mim — disse Alberto. — Via que meu pai ficava incomodado quando me batia, mas ele fazia isso por entender que era para meu bem. Eu passei do ponto em algumas ocasiões mesmo. Na pior, quando roubei umas frutas da vizinha, ele me deu uma surra de cinto. Eu tinha nove anos. Nunca mais roubei nada na vida!

Fernando e Tânia deram a entender que concordavam com ele.

— E como fica a autoestima nesse caso? — perguntou Amanda a Mike.

— Não prejudica. Na verdade, segundo alguns estudos, pode até ser benéfico, principalmente em homens, quando o castigo físico é pontual e tem um motivo claro. Faz a criança aprender que ela não pode tudo. Mais tarde, fica mais natural respeitar colegas, professores, as leis...

— Até acho que meu pai poderia ter deixado passar algumas vezes comigo, mas ele teria sido negligente — disse Fernando.

— Interessante, Fernando — comentou Mike.

— Pois é, nunca tinha me dado conta disso. Era uma maneira de investir em mim de certa forma, de não compactuar com o que eu fazia de errado.

— Eu não tenho dúvida de que trago mágoas dos meus pais pelo que eles já me disseram, mas, engraçado, das surras eu não guardo rancor. Eles tentavam me corrigir, e tenho consciência de que eu era arteira demais! — revelou Tânia.

— Acho esse assunto fascinante, mas também é polêmico, já que hoje vários países proíbem qualquer tipo de repreensão física às crianças, e isso inclui até mesmo a palmada de um pai consciente tentando impor limites claros a um filho — completou Mike.

— Lá em casa, nunca bati nos meus filhos, mas já tive vontade várias vezes — disse Fernando. — Vai ver que é por isso que fica aquela confusão de colocar de castigo, tirar coisas de que eles gostam, e eles continuarem a aprontar.

— Que eu saiba, essas leis foram baseadas em estudos científicos — retrucou Amanda.

— Talvez nos estudos de época, Amanda. A Suécia, que foi a primeira a proibir a palmada, fez a lei em 1979. Só mais tarde os pesquisadores observaram que, quando se leva em conta o abuso emocional, que nem era investigado nos primeiros estudos, o castigo físico deixa de ser um problema. Isso acontece porque os pais mais agressivos fisicamente tendem a ser os que mais ofendem também. Anseio que algum país tenha a coragem de voltar atrás nessa lei e restringir exclusivamente os atos maiores de violência, que geram lesões. Já se sabe que, desde que a palmada na infância foi criminalizada, aumentaram os problemas com os jovens, desde brigas sérias em casa na adolescência até vandalismo e bullying na escola. Com isso, não estou dizendo que todas as crianças devam apanhar, mas que foi equivocado proibir a palmada querendo proteger as crianças de espancamentos. Fez as pessoas acreditarem que o castigo físico, mesmo com um motivo claro, era o inimigo, quando o problema mesmo é o poder letal das palavras ditas pelos pais. Basta uma ofensa ou uma comparação negativa com alguém pra marcar a autoestima da pessoa pra sempre. E ainda tem as chantagens emocionais e os rótulos que são colocados nas crianças sem consciência do dano que fazem.

Enquanto todos concordavam com a cabeça, Amanda sentia a estaca sendo cravada cada vez mais fundo. Lembrou-se de sua mãe tentando inibir seus comportamentos chamando-a de feia e de como isso a machucava, mas manteve uma expressão plácida, como se estivessem falando do tempo.

— Hoje à tarde vamos processar essas mágoas, Tânia. E também as carências, para quem não se sentiu suficientemente amado. Agora gostaria de abordar outro tópico, que eu chamo de hierarquia da mente.

Mike ligou o projetor e mostrou três imagens de cérebro.

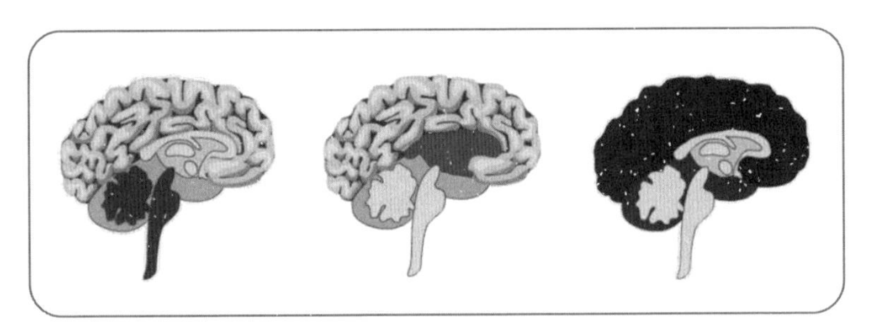

Representação do conceito de cérebro triuno.

— Vejam na imagem da esquerda uma parte na base do cérebro, que vai da nuca até a altura da orelha. Ela é destinada a funções vitais e à regulação do corpo, como temperatura, respiração, ao fato de uma pessoa estar acordada ou dormindo, a reflexos de fuga, agressividade, territorialidade, fome, ou seja, funções primitivas. Essa região é conhecida como cérebro reptiliano porque é muito parecida com o cérebro dos répteis.

— Quer dizer que eu tenho um lagarto dentro de mim? — brincou Tânia.

— De certa forma, sim — disse Mike, rindo. — Bem ou mal, um lagarto é capaz de apresentar vários comportamentos e sobrevive muito bem, obrigado. Não tem o afeto dos mamíferos, por isso não é popular como bicho de estimação. É aí que entramos nessa segunda imagem, que mostra várias estruturas que formam o cérebro mamífero antigo, também chamado de sistema límbico. Ele é responsável por emoções, motivações e afetos, conforme observamos em animais como cachorro, cavalo...

— Nossa, então é por isso que eu amo tanto o Nietzsche, meu cachorro — acrescentou Paula.

— E certamente o Nietzsche ama você também — disse Mike, rindo. — Os cães são uma grande fonte de amor hoje na sociedade. Por serem fiéis, exercem um papel ainda mais importante para as pessoas que têm dificuldade de confiar nos outros. Bem, e a terceira imagem mostra o córtex cerebral, que é essa camada de cima cheia de voltas, chamado de neocórtex. Na evolução, essa parte se desenvolveu mais em primatas. Entre eles, especialmente em nós, humanos. Nessa região ocorrem o planejamento, a abstração, raciocínios complexos e a linguagem. O termo dado a esse modelo, proposto pelo neurocientista Paul MacLean, é cérebro triuno, pra indicar que essas três partes funcionam como uma unidade integrada, ou seja, três em um. Agora eu pergunto a vocês: se tivessem que abrir mão de um desses três cérebros, qual deles escolheriam?

— O córtex — disse Carol, surpreendendo a todos. — Acho que é melhor ficar burro do que não ter emoções!

Fernando discordou:

— Eu prefiro manter o córtex e tirar o límbico.

— Viraria um robô, sem motivação pra nada. Algo como um lagarto pensativo — provocou Paula, rindo.

— É verdade, talvez seja melhor ser um rato vivendo plenamente do que um lagarto pensativo.

— Alguém abriria mão do cérebro reptiliano?

Ninguém se atreveu.

— Acho que ficou clara a hierarquia da mente: a parte fundamental é o reptiliano, que cuida das funções vitais, depois vem o cérebro emocional e, por último, o córtex, sede do planejamento e da abstração.

— Por isso que, pra se matar, uma pessoa deve se dar um tiro no meio da boca, e não na testa!

— Credo, Alberto! — gritou Tânia.

— Mas não é verdade? — disse ele, pedindo socorro a Mike.

— Sim, é verdade do ponto de vista da sobrevivência. Alguns casos famosos estudados na neurologia aconteceram com pessoas que sofreram uma lesão grande no córtex frontal, esse que está logo atrás da testa, e sobreviveram. Como a região da fala não foi atingida, essas pessoas pareciam normais, mas mais tarde foi constatado que elas tinham pouca noção do que faziam, tornaram-se impulsivas, não planejavam mais nada.

— Viu? — disse Alberto, olhando para Tânia.

— Sai pra lá! — brincou ela.

— Por outro lado — continuou Mike —, uma das principais razões para alguém querer se matar é se sentir desconectado afetivamente. Grande parte do sentido da vida vem das nossas relações de afeto. Pensando por esse lado, podemos concluir que, pelo menos nos seres humanos, o cérebro límbico é tão ou mais importante do que o reptiliano.

Após um breve silêncio, Alberto confidenciou:

— A única vez que pensei em me matar foi quando me senti isolado após uma situação de estresse no trabalho e fui criticado pela minha mulher. Ela não entendia o que estava acontecendo e um dia me chamou de fraco, disse que eu não queria me ajudar.

— Que corajoso da sua parte expor isso, Alberto — disse Mike.

Um silêncio mais longo pairou na sala.

— Agora consigo ver que ela estava perdida, confusa, impotente... O poder das palavras...

— E o tom em que elas são ditas, ainda mais quando já se está sensibilizado — disse Mike, concordando com a cabeça por alguns segundos até voltar ao assunto anterior. — Muito bem. Agora vou passar um vídeo com um dos neurologistas mais importantes do mundo, António Damásio. Apesar de viver há muitos anos nos Estados Unidos, ele é português.

Mike acionou o vídeo e um senhor distinto começou sua palestra. Era mais técnico e bem menos simpático do que Brené Brown, do vídeo anterior. Para Amanda, não era nada surpreendente, já que estava acostumada com aquele estilo "intelectual da medicina". Sua fala era sobre a consciência e o modo como a percepção de "ser eu mesmo", que ele chamou de *self*, está ligada ao tronco cerebral, uma das regiões do cérebro reptiliano. Inclusive, informou Damásio, é o tronco cerebral que faz a ligação entre as sensações do corpo e os sentimentos. É a partir das sensações do corpo que podemos mapear o que acontece fora de nós. O córtex cerebral humano torna nossa vida mental mais rica do que a de outras espécies, mas a consciência fundamental de ser quem somos está no tronco cerebral, nos sentimentos e nas sensações do corpo.

Damásio é um intelectual dos sentimentos, pensou Amanda, passados os vinte minutos do vídeo.

— Muito bem. Agora vamos pensar no tempo desde a origem da vida no planeta. Organismos com várias células surgiram há mais de um bilhão de anos. Eles foram o primeiro modelo de um corpo complexo, já que essas células precisavam se organizar para um fim comum, que era a sobrevivência em grupo. Há cerca de quinhentos milhões de anos surgiram os peixes, que obviamente já tinham as funções vitais do cérebro, e há duzentos e cinquenta milhões foi a vez dos répteis. O cérebro emocional só apareceu com os mamíferos há uns cento e cinquenta milhões de anos, e a expansão do córtex começou há três milhões de anos. É provável que a comunicação mais elaborada tenha se desenvolvido a partir daí, mas a linguagem em si, parecida com a que estamos usando agora, só surgiu há cem ou cento e cinquenta mil anos. — Mike parou por alguns segundos. — Então, a partir disso, o que vocês pensam sobre o corpo?

Amanda achou que sabia aonde Mike queria chegar e arriscou:

— O corpo tem um bilhão de anos, e os mecanismos de reparação de que ele faz uso são muito desenvolvidos. Basta ver nossa capacidade de cicatrização, nosso sistema imune e o meu favorito, claro, o sistema endócrino, que regula o corpo como um todo. Ele é automático, inteligente e eficiente, e mal temos consciência do que acontece. Já as emoções são mais recentes na evolução e são bastante automáticas também. O córtex bem desenvolvido e a linguagem são bem recentes, e temos mais consciência do que pensamos.

— Obrigado, Amanda, você levantou alguns pontos importantes — disse Mike, com a mão no queixo. — Está claro pra você por que uma palmada na hora certa não é prejudicial, mas uma ofensa quase sempre é?

Amanda não tinha chegado tão longe, mas depois de pensar por alguns instantes conseguiu elaborar e respondeu:

— Acho que ainda estamos aprendendo a lidar com a linguagem e suas consequências emocionais, principalmente nas relações. O corpo, pelo contrário, por ser muito mais antigo, talvez se garanta melhor sozinho.

— Ótimo. Além disso, as ofensas e rotulações atacam o ser, a pessoa, enquanto uma palmada é voltada para um comportamento específico, sem afetar o conceito que a criança tem de si mesma. Mas também tenhamos em mente que crianças precisam de atenção e do interesse dos pais, o que naturalmente faz com que se sintam importantes. Quanto mais conexão e engajamento afetivo, que não tem nada a ver com mimar, mais regulada ela tende a ficar. Muitas vezes, por trás de uma pirraça está a falta dessa atenção, dessa sintonia.

— Mas algumas crianças já são mais irritadiças e impulsivas do que outras — disse Fernando, com conhecimento de causa.

— De fato, cada uma tem seu temperamento, sua natureza. Algumas aprontam mais, outras se recolhem e outras se envolvem com atividades como leitura, esporte, videogame, TV... depende muito do contexto, dos modelos e dos reforços que recebem.

— Você tem filhos? — perguntou Amanda, que já havia reparado na aliança de Mike.

— Três. Cada um é de um jeito.

— E você batia neles?

— Na menina, menos, talvez uma ou duas vezes, até porque ela era muito tranquila mesmo. No mais velho, algumas vezes, e o mais novo, que é mais acelerado, apanhou mais. Ele gostava de provocar e testar os limites. Hoje está com vinte anos e é o mais criativo dos três. Era uma boa palmada, uma conversa franca depois e um abraço quando nos entendíamos. Nesses momentos, acho essencial uma dose maciça de atenção, de mostrar que se importa.

— Você os deixava jogar videogame? Meu menino é vidrado nesse negócio — comentou Fernando.

— Jogaram, sim, mas isso também foi importante para os limites e regras. Se deixar totalmente solto, tem criança que passa a noite toda jogando. O que me preocupa hoje em relação a isso é que muitos pais também estão engajados com celulares e computadores. E, ainda por cima, já colocam a criança desde bebê nos eletrônicos também. Assim, todo mundo se distrai e conecta com os conteúdos coloridos, dinâmicos e viciantes das telinhas. A questão é: a mente humana requer conexão afetiva para se desenvolver bem. O que vai acontecer mais adiante com essa substituição do tempo com os pais pelas máquinas?

Todos demonstraram ter entendido o recado. Então, Mike continuou:

— Como estávamos falando, na hierarquia da mente, o corpo, sensações, percepções e emoções influenciam o pensamento. Esse é o fluxo normal e predominante. Quando fazemos um ato consciente de abrir uma memória na forma de uma imagem, por exemplo, ela pode desencadear emoções e sensações corporais. Infelizmente, em geral conseguimos mudar pouca coisa dentro de nós somente por meio do pensamento, como pregam alguns gurus. Ou, quando tentamos mudar o pensamento, é comum voltarmos ao que éramos antes, porque o que está registrado no corpo, nas sensações e nas emoções permanece no registro anterior.

Paula resolveu colocar lenha na fogueira.

— Mas para a terapia cognitivo-comportamental, a mudança do pensamento acarreta a mudança das emoções e do comportamento.

— Tem razão, Paula. Aaron Beck, que foi quem criou essa terapia, tem vários méritos. Talvez o maior deles seja a realização de muitos estudos científicos para avaliar a eficácia do método, o que era pouco comum na época. A terapia cognitiva de fato melhora vários quadros psiquiátricos, mas tem limitações em gerar o sentimento de integração, de resolução interna mais profunda. Pra mim, a chave dessa linha de tratamento está em "engajar" o corpo, que é exatamente a parte comportamental. Quem consegue melhorar os pensamentos, a parte cognitiva, desenvolve um mecanismo capaz de relativizar os pensamentos naturais que surgem, influenciados pelas memórias, emoções e sensações corporais. Fica uma briga interna de pensamentos: os da razão, aprendidos na terapia, contra os que vêm da emoção e das memórias. O problema é que a parte racional do cérebro, o córtex frontal, é a primeira a desligar quando estamos estressados. A energia cerebral se volta para o cérebro primitivo e o emocional. Então, quando mais se precisa dos novos pensamentos trabalhados na terapia, o acesso a eles é perdido.

— O que você quer dizer quando fala em engajar o corpo? Como isso acontece num caso psiquiátrico? — Alberto quis saber.

— Isso tem a ver, por exemplo, com fazer com que um paciente com transtorno obsessivo-compulsivo, que teme bactérias e lava as mãos trinta vezes por dia, consiga colocar a mão no vaso sanitário limpo. Na cabeça dessa pessoa, ali tem bactérias letais, e ela se sente indefesa, mas, se conseguir manter sua mão mergulhada na água por alguns minutos, suportando a ansiedade e o desconforto do seu...

— Corpo! — disseram Tânia e Carol, juntas.

— Fazendo isso algumas vezes, a pessoa aprende pela...

— Experiência — disse Alberto.

— Exatamente, a experiência de que, afinal, ela não vai desenvolver nenhuma doença, de que já está segura das bactérias simplesmente porque a pele a protege. Ela aprende de baixo pra cima, do corpo para a emoção e o pensamento. Costumo dizer que o corpo é a fundação de uma casa, as emoções são as paredes, e os pensamentos, o telhado. Uma construção se faz e se sustenta de baixo pra cima. Em nosso desenvolvimento também é assim, certo? Quando nascemos, temos reflexos como o de sugar, exprimir dor, fazer xixi, cocô, dormir, acordar e chorar quando algo está ruim. Essas são funções de qual cérebro?

— Reptiliano — disse Fernando, com ar de obviedade.

— Com alguns meses de idade, começamos a achar graça das coisas, rimos, choramos quando nos deixam sozinhos. Ou seja, começam as emoções sociais, mas o mais interessante é quando uma criança descobre o próprio corpo. — Mike imitou um bebê olhando maravilhado a própria mão e depois começou a bater palminha de modo desajeitado, fazendo "dá-dá", para o riso geral. — A parte motora dá um salto quando começamos a andar, as emoções se desenvolvem bastante até os dois anos, e a linguagem começa a se manifestar no segundo ano de vida, com muitos anos ainda para evoluir. A parte racional que entende causa e consequência aflora na fase dos "porquês", lá pelos quatro anos de idade. Vejam que o desenvolvimento de um indivíduo ao longo da vida segue a mesma ordem da evolução das espécies.

Amanda havia entendido tudo, embora se questionasse por que, nas aulas da faculdade, ninguém havia explicado o essencial sobre o funcionamento da mente e a organização do cérebro. Quase tudo o que teve de estudar para as provas se perdeu com o tempo. *Não tinha a tinta das emoções*, pensou. Só as sentia quando estava com os pacientes.

Mike continuou:

— Quero também comentar com vocês que é no corpo, que está conectado ao cérebro, claro, que guardamos as memórias dolorosas. É nesse mapa que vamos encontrar o tesouro. Todos já viram uma imagem do sistema nervoso periférico? É a representação da medula e de todas as raízes nervosas saindo dela para o corpo. Prestem atenção nas palavras: *raízes* nervosas. — E colocou as duas mãos abertas e para baixo sobre sua barriga. — *Tronco* cerebral — disse com o dedo na nuca. — O que seria o cérebro, então?

— A copa da árvore! — disse Tânia, sem pestanejar.

— Bingo! — disse Mike, quase se levantando da cadeira. — Logo, se as memórias dolorosas tiverem sido marcadas com a tinta das emoções a partir das sensações do corpo, o que precisamos acessar para limpar essas memórias na raiz?

— Devemos mexer no corpo? — disse Paula, insegura.

— É por isso que você insiste que a gente preste atenção nas sensações do corpo! — atravessou Carol, falando por experiência própria.

— Isso mesmo. Só que vamos fazer isso pra valer depois do almoço! Agora são onze e quinze, e vou deixar um texto com vocês para que leiam até voltarmos à tarde. — Mike começou a distribuir o material. — Fiquem à vontade. Logo a Emily vai servir uma sopa aqui ao lado, tem chá e café na mesa.

Mike se retirou, e todos ficaram se olhando por alguns segundos. Amanda convidou Paula para tomar um chá e optou por um chá-preto escocês. Caminharam até a janela facetada que dava para o jardim. Ela sempre gostou desse tipo de janela, e a sensação que ela provocava ali na Escócia era diferente, talvez por ser inverno.

Provou o chá, e seus olhos se fecharam ao sentir o gosto amargo rasgando sua garganta. Entendeu por que colocavam um pouco de leite. Voltou, serviu-se da pequena leiteira e pôs uma colherinha de açúcar. Agora, sim — o calor de cada gole descia macio, aquecendo seu peito. Paula não demorou a falar:

— Não sei bem o porquê, mas, com isso tudo que vimos, hoje comecei a fazer algumas ligações com coisas que aprendi na faculdade.

— Eu também!

— Tinha um professor que enfatizava que a propaganda precisa criar um impacto emocional no cliente. Outra professora dizia que devemos fazer de tudo para o cliente experimentar o produto. Ou seja, pegar, cheirar, ouvir, sentir... Ela usava o exemplo do vendedor de carro: a primeira coisa que ele faz é levar você para um *test drive*. Corpo, experiência, emoção... É isso que faz o cliente querer comprar. Só depois entra a parte racional, que tem a ver com o preço, o ajuste do valor a seu orçamento...

— Sabe do que acabei de me dar conta? — disse Amanda, surpresa, olhando pela janela por alguns segundos.

Paula virou o rosto para ver o que havia de tão interessante no jardim, mas não encontrou nada.

— Do quê, Amanda?

— Foi bem isso que aconteceu hoje no café!

— Do que você está falando?

— Quando o Mike chegou com aquele mingau, eu fiquei com vontade de experimentar porque o vi comendo como uma criança. Ele ofereceu, e eu aceitei. Quando você me viu comendo, foi até a cozinha e pediu um pra você.

— É mesmo, foi o impacto emocional! Bem ou mal, vocês fizeram a propaganda pra mim com o corpo inteiro!

— E, quando nós duas juntas recomendamos para nossos colegas, eles não quiseram experimentar... — concluiu Amanda, abismada.

— Nós já tínhamos terminado quando eles chegaram. Foi só pela palavra, ficou só no racional. Mas é, eles também teriam gostado.

— Que coisa! A gente não tem nem ideia de como tudo isso nos influencia, como se nossas decisões fossem completamente racionais.

Amanda terminou seu chá e chamou Paula para lerem o material em uma salinha aconchegante ao lado do hall. Esse ambiente com paredes de madeira tinha somente duas poltronas verdes e uma vermelha, todas com o tradicional padrão quadriculado escocês. Amanda foi direto para a vermelha e sentiu seu corpo se encaixar perfeitamente. *Era isso que eu queria*, pensou. E se concentrou na leitura.

Em busca do tesouro

A passividade não é eficaz para gerar transformações. Bons textos, por mais agradáveis, bem escritos e estimulantes que sejam, só encostam na superfície da mente e, assim, não conduzem a uma mudança consistente. Palavras são capazes de aumentar o entendimento, ampliar conceitos, apontar caminhos, fornecer conhecimento, o que é ótimo! No entanto, as mudanças que acontecem somente no nível verbal tendem a ser transitórias, logo se volta à situação anterior. Para transformar algo em nós mesmos, é preciso engajamento, alguma coisa que demande um envolvimento ativo e completo, de preferência com o corpo, os sentimentos, a consciência e as histórias que existem dentro de nós.

Você já deve ter percebido que este seminário não funciona com uma fórmula pronta para ter autoestima ótima e inabalável. Reconheço que a ideia de seguir os sete hábitos das pessoas felizes e os cinco passos para o sucesso pessoal é sedutora. Que bom seria se isso bastasse para nossos problemas desaparecerem. Aliás, sabe para quem as afirmações positivas funcionam? Para quem já tem autoestima boa!

Estudos em que se tentou melhorar o estado de humor ao incorporar pensamentos positivos só tiveram efeito em quem já tem um bom conceito de si mesmo. Se a frase positiva está muito distante da crença central de uma pessoa, ela rapidamente fica desacreditada e é descartada. Por isso, fórmulas prontas têm efeito reduzido, porque não levam em conta como cada um é nem sua história pessoal. É como dizer que pessoas ricas têm mansões, grandes salários e carros esportivos na garagem. Tenha-os e, assim, seja rico.

Existem diversos obstáculos e pontos cegos que nos impedem de simplesmente adotar as receitas de felicidade, autoconfiança e sucesso. Não estou dizendo que as pessoas mais realizadas e bem-sucedidas não compartilhem várias características comuns. Ao contrário... A questão é que essas características são resultado de um processo pessoal que se desenrola ao longo da vida. Algumas pessoas têm a sorte de ter uma família amorosa e solidária e amigos fiéis, uma boa escola, desafios na medida certa, limites, apoio em situações de derrota, uma genética favorável, uma comunidade interessante e, por isso, gozam de autoestima boa e desfrutam de uma vida feliz. Outras a conquistaram superando adversidades de diversos tipos. Os caminhos são muitos para estar em paz e feliz consigo mesmo.

O pensamento é somente o topo do iceberg. Por isso é tão difícil mudarmos nossos registros centrais simplesmente tentando agir sobre os pensamentos. Claro que a racionalidade é importante e convém fazer o melhor uso possível desse recurso. Infelizmente, a autoestima não é uma crença, e mudar o jeito de pensar não é suficiente para tudo ficar bem. Ela está intimamente ligada a todo o nosso ser e a nossa história de vida, com raízes na infância.

Muito do que vem de fora nos abala por tocar em pontos sensíveis de nossa personalidade. Não seria ótimo convencer todos ao redor a fazer o que queremos? Impossível, mas é o que muitos tentam, em vão, por anos a fio. Portanto, o melhor caminho é investigar o que há dentro de nós. Essa investigação passa pela análise da nossa biografia. Eu não acreditava nisso quando me formei psicólogo. Defendia a ideia de que "temos que olhar daqui para a frente". Acompanhei o nascimento da terapia cognitivo-comportamental de Beck no fim dos anos 1970, a qual pregava exatamente isto: uma atitude pragmática para corrigir pensamentos distorcidos e crenças disfuncionais, como "eu não tenho valor", que brotavam espontaneamente na mente das pessoas. São os chamados "pensamentos automáticos". Também se adotavam novos comportamentos meio "à força", até que se vencessem as barreiras internas. Essas abordagens dispensavam uma análise mais aprofundada da história pessoal, que era o fundamento da psicanálise. Aliás, Beck era psicanalista e, quando tentou tratar pacientes com depressão com o que se conhecia até então, viu que não funcionava. Por isso, enveredou por novos caminhos com coragem, determinação e método. Aquilo me impactou, era algo muito novo na época. Bastavam de oito a doze sessões na maioria dos casos para haver uma boa melhora. Comprei ainda mais essa ideia quando os resultados dos primeiros estudos sobre depressão e ansiedade foram positivos.

Na época, a visão mais tradicional e concorrente era a psicanálise, nascida com Freud, mas com acréscimos e releituras importantes por outros autores. Por ser um tratamento que poucos podiam sustentar em função do alto custo de dinheiro e tempo (pelo menos três sessões por semana durante vários anos), não conseguia levá-la muito a sério como abordagem de saúde. Confesso que achava a psicanálise interessante, muito elaborada conceitualmente, mas pouquíssimo prática e eficiente. Testemunhei isso inclusive junto a conhecidos que faziam análise havia anos. Mergulhavam no passado em busca do inconsciente, encontravam algumas respostas, falavam de seus insights — o "dar-se conta" —, mas o progresso era lento demais. Não me entendam mal: não sou contra psicoterapias baseadas na fala. Por três anos, eu me tratei com uma psicanalista duas vezes por semana, e isso me ajudou na época. Por esse motivo, eu me sinto à vontade para falar das limitações desse processo. Quem puder fazer e encontrar um *terapeuta que se encaixe bem em uma terapia tradicional tem todo o meu apoio e admiração. Até porque não é fácil vencer as resistências e se expor. Principalmente para os homens. Convém, no entanto, saber das limitações e não gerar expectativas irreais.*

Por muito tempo, fiquei nisso. Entrei na terapia tradicional por ter consciência de que havia coisas que eu não sabia. Se eu era um iceberg, só via o topo; comecei a mergulhar a cabeça no mar para descobrir mais sobre meu inconsciente. Enxergava pouco, mas encontrei algumas coisas interessantes. Freud não é tão famoso por nada. Antes, na abordagem cognitiva, havia deixado o topo do iceberg todo organizado e adquiri certa sensação de controle. Só que, como disse na carta anterior, quando tudo em minha vida estava ruindo, nenhuma dessas abordagens me ajudou. Pior, não preveniram que eu mesmo criasse tantos problemas para mim. Felizmente, graças ao meu lado curioso (e a um tanto de sorte), na pior fase da minha vida tive o primeiro contato com técnicas de processamento de memórias. Tive o privilégio de ser paciente de Peter Levine e sua Experiência Somática, quando ele ainda era pouco conhecido. Minha cabeça (e meu corpo) viraram do avesso. Senti na pele e entendi o valor de mergulhar no passado, mas munido de um tubo de oxigênio, roupa de neoprene, máscara e uma lanterna, o que me permitira enxergar o que antes era pura escuridão.

E ainda havia um arpão quando precisava matar os monstros que encontrava pelo caminho.

Ficou óbvio que temos muito mais pontos cegos do que gostaríamos de admitir, e conheci o significado de insights de corpo inteiro, de baixo para cima. Percebi, então, que não sabia que não sabia. Nem me dava conta de que não tinha ideia da profundidade do mergulho por não dispor antes dos meios de fazê-lo com segurança e precisão.

É comum se perguntar de que adianta voltar ao passado se não podemos mudá-lo. Com as técnicas de processamento de memórias, tudo muda — os sentimentos, as imagens registradas, as crenças sobre a situação, a sensação do corpo enquanto lembramos. Mais do que isso, vários registros escondidos vêm à tona, nos fazem compreender o enredo da nossa história e ficar mais em paz com ela. Isso é libertador!

Essa é boa parte do caminho. Percorrê-lo requer coragem, mas pode fazer uma bela diferença na sua maneira de se relacionar consigo mesmo. Lembre-se de que o que dá sustentação aos pensamentos conscientes provém de experiências que permanecem registradas de modo implícito na nossa memória. Esses são nossos códigos mais profundos, que acessamos por meio de sentimentos e sensações corporais. Com técnicas avançadas, somos capazes justamente de acessar as memórias implícitas, gerar insights profundos e promover mudanças nos sentimentos, nas sensações corporais, nas imagens mentais e nas crenças. Ao adentrar esse território, percebendo nossas emoções e como nosso corpo se manifesta, resgatamos alguns tesouros perdidos nos naufrágios da vida e passamos a conhecer bem mais do nosso iceberg. Basta estarmos abertos para o que vier, observando com curiosidade, sem nos julgarmos. Daí sim, a razão e a linguagem transformam-se em grandes aliadas para entender o mapa, organizar essa experiência e torná-la mais palpável para a consciência.

Bom mergulho!
Mike

Paula acabou a leitura antes de Amanda. Normalmente Amanda teria se comparado a ela, achando que lia devagar, mas logo deixou isso de lado e começou a pensar no que seriam seus monstros, seu iceberg, seus tesouros. Tinha certeza de que não estava mais na fase da confiança cega e pretensiosa de achar que se conhecia. Já havia se dado conta de que não sabia. Nunca tinha pensado era sobre o que não sabia que não sabia. Sua cabeça deu um nó.

— Como será essa técnica? — disse Paula.

— Pelo que entendi até agora, são várias técnicas, não é só uma. Não tenho a menor ideia de como elas são, mas espero que funcionem...

— Eu também! Sei que ler livros de autoajuda não faz muita diferença. Mesmo assim, eu gosto, me sinto melhor quando estou lendo, até porque adoro ler. Só que nunca senti nenhuma mudança de verdade por causa deles.

— Eu li alguns interessantes também. Acho que nunca esperei muito deles. Fiquei pensando sobre a terapia... Penso que até tentei encarar o iceberg, mas nunca consegui mergulhar no mar gelado! — brincou Amanda.

— Já fiz terapia cognitivo-comportamental. Pra mim, ajudou em algumas coisas, principalmente na ansiedade. Mas ele tem razão, ainda fico lutando com meus pensamentos. Parecia um tipo de treinamento, meu terapeuta dava até lição de casa.

— Como assim, lição de casa?

— Eram uns exercícios que eu fazia por escrito e depois repassava com ele. Pelo menos isso deixou o topo do meu iceberg mais arrumado!

Rindo, Amanda se levantou e a chamou para comer. Mike já estava lá, conversando com Tânia e Carol. Ao avistar as recém-chegadas, anunciou que seria servida *Scotch broth*, uma sopa com legumes picados e pequenos pedaços de carne. Fernando tentou ser engraçado perguntando se o *Scotch* da sopa se referia ao uísque. Ela sabia que *scotch* significava "escocês" e não nutria o mesmo gosto por álcool que ele, apesar de gostar de vinho e champanhe. Esboçou um sorriso e sentou-se ao lado de Tânia. A conversa girava em torno de moda. Mike parecia interessado e fazia várias perguntas para uma animada Carol. Amanda até gostava do assunto, mas o que estava apreciando mesmo era o calor no peito daquele caldinho bem temperado preparado por Emily. Tânia também dava mais atenção à sopa e serviu-se novamente.

Alguns minutos depois, Mike chamou-os para a sala, que agora tinha duas pequenas poltronas no centro, uma de frente para a outra.

— Querem discutir alguma coisa sobre o texto? — iniciou ele.

— Eu queria que você falasse um pouco mais sobre essa história do mapa — pediu Alberto.

— O que eu quis dizer é simples: Freud foi quem teve a primeira grande "sacada". Ele enxergou e desenvolveu o conceito de inconsciente de modo genial. Já se falava algo sobre o assunto, mas foi ele quem teve a coragem de dizer que não tínhamos acesso a uma grande parte do nosso mundo mental. Em uma época em que o racionalismo científico estava em alta, com a Revolução Industrial a toda, Freud apontou: o tesouro está no fundo do mar, no inconsciente, não na praia, que seria a parte aparente ou consciente. Ou o topo do iceberg, como está no texto.

— Mas a psicanálise não entra no fundo do mar pra buscar o tesouro? — insistiu Alberto.

— Ela tenta. Ela coloca um snorkel e fica olhando pra baixo, vendo peixes, algas, o iceberg enorme, a escuridão, e tenta dar um sentido a isso tudo através da palavra e da relação com o terapeuta. Nesse caso, os sonhos seriam o snorkel, como uma janela para o inconsciente, mas existem outros métodos para acessá-lo.

— E quanto ao mergulho?

— Na minha opinião, a limitação da abordagem está em não saber como mergulhar nesse espaço não verbal pela experiência. É como decifrar um mapa sem conseguir trilhar o caminho até o tesouro. Mas vejam que colocar o snorkel foi um passo enorme! Em dado momento, houve uma divergência histórica com Freud. Wilhelm Reich postulou que o inconsciente estava no corpo, e isso o levou a criar uma linha própria de terapia, chamada de reichiana. Para ele, era necessário dissolver as couraças musculares para que a energia fluísse no corpo. Ele chamou essa energia vital de orgone, que é semelhante ao *chi* dos chineses e o *prana* dos indianos. Hoje há várias técnicas corporais inspiradas nesse conceito, conhecidas como neorreichianas, que são muito interessantes.

— E como você vai fazer a gente mergulhar? Só prestando atenção no corpo?

— Alberto, se você não se importar, prefiro que a gente comece agora mesmo a experiência. Vocês vão ver e sentir como é. Pode ser?

Alberto concordou, e todos ficaram inquietos.

— Eu vou usar minha técnica preferida, chamada de *Brainspotting*. Ela foi desenvolvida por David Grand, um psicólogo americano, a partir da Experiência Somática de Peter Levine. Vou precisar de um voluntário.

Todos os olhos se voltaram para Alberto.

— Eu?!

Mike olhou para ele e indicou com os olhos as poltronas do centro da sala.

— Está bem, vamos lá! — disse, esfregando as mãos nas coxas antes de se levantar.

Mike e Alberto se posicionaram frente a frente. Amanda estava de pernas cruzadas e não conseguia deixar de balançar o pé suspenso no ar.

— Alberto, o que vamos fazer agora é uma sessão de processamento de memórias. Só preciso que você faça o que eu pedir, sem se preocupar se está certo ou errado. O mais importante é confiar em mim e deixar acontecer, ok?

— Ok.

Mike tirou um pequeno aparelho do bolso.

— Primeiro, coloque esses fones de ouvido. Você vai ouvir alguns sons da natureza que vão ajudá-lo a mergulhar no processo — disse, enquanto os entregava a Alberto. — Consegue me ouvir?

— Sim.

— Ótimo. Agora vamos buscar uma situação difícil que você tenha vivido, que possa ter sido traumática.

Alberto olhou em direção à janela por alguns segundos e sinalizou para Mike que havia escolhido sua memória.

— Não é necessário que você nos conte o que aconteceu, mas aqui temos nosso pacto de sigilo. O que acontece em Dornoch fica em Dornoch, e todos vão estar aqui no centro comigo nos próximos dias.

— Por mim, não tem problema.

— Que bom, também vai ser mais enriquecedor e interessante para o grupo saber depois sobre seu processamento, porque só você vai mergulhar nele. Qual foi a situação que lhe veio à mente?

— Lembrei-me de quando fui tirado da chefia do meu setor no ministério e simplesmente descartaram o trabalho que fiz por quatro anos.

— Quando foi isso?

— Dois anos e meio atrás.

— Hummm — disse Mike, balançando a cabeça. — E você infartou quando?

— Há dois anos.

Mike ficou olhando para ele. Alberto perguntou:

— Você acha que uma coisa tem relação com a outra?

— Vamos tentar descobrir juntos. Você está bem clinicamente?

— Sim, tudo bem em meu check-up anual. Estou me exercitando, o colesterol está bom...

— Isso é importante, porque vamos mobilizar algumas emoções. Você consegue entrar na cena exata de quando percebeu que seu trabalho seria descartado?

— Claro, está nítida na minha mente. O assessor do ministro chegou com um cara que eu nunca tinha visto antes. Começou com rodeios, agradeceu minha dedicação na chefia, mas informou que haveria uma mudança — disse ele, novamente com a voz presa e o olhar na janela.

— E o que você sentiu?

— Fiquei sem chão — disse, olhando para Mike.

— Certo... Agora, mergulhando bem nessa memória, deixando vir à tona o que você passou nessa situação, como isso reflete no seu corpo?

— Sinto uma pressão na cabeça... e na mandíbula.

— Ótimo... Se você pudesse dar uma nota de zero a dez, sendo dez algo extremamente incômodo, que nota você daria para o que está sentindo agora?

— Sete.

— Ok. Agora eu gostaria que você olhasse para aquele ponto que você olhou antes — Mike apontou na direção da janela.

— Eu olhei pra lá?

Amanda estava prestando atenção em cada detalhe e não tinha dúvida de que Alberto havia olhado para a janela.

— Sim, lembre-se de novo dessa situação... — disse Mike, e os olhos de Alberto automaticamente correram para a janela.

— Ah, esse ponto?

— Exatamente. Agora, mantendo o olhar ali, observe essa sensação na cabeça e na mandíbula — disse Mike, com a voz mais suave. — Apenas confie no seu corpo, observe o que acontece com as sensações e deixe as imagens chegarem naturalmente à consciência. É só deixar acontecer...

Alberto manteve o olhar fixo na janela. Parecia hipnotizado. Amanda ficou curiosa para saber que tipo de som ele estava ouvindo pelos fones. Mike ficou em silêncio, observando. E assim se passaram alguns minutos. A única coisa estranha que Amanda notou foram pequenos reflexos e rápidas contrações no ombro e no braço direito de Alberto.

— Decepção, revolta — disse ele, espontaneamente.

— Hummm... Vamos seguir com isso, deixando as cenas e as sensações mostrarem o caminho — respondeu Mike.

Mais um minuto, e então mais um. Alberto deu um suspiro muito profundo.

— Estou sentindo meus braços latejarem e meu corpo fervilhar. E ódio daquele desgraçado.

Mike nem respondeu, parecia em total sintonia com Alberto. Só se ouvia o vento uivando lá fora de vez em quando. Depois de mais alguns minutos, Mike se aproximou um pouco de Alberto e falou, com a voz baixa:

— Perceba se alguma parte do seu corpo está pedindo para você fazer algum movimento...

Em poucos segundos, Alberto começou a mexer lentamente o braço direito, fechou e abriu a mão algumas vezes, girou o ombro, espichou o pescoço e parou de se mexer. Mais um suspiro longo emergiu das profundezas do seu pulmão. Amanda estava estranhando aquela história de o corpo "pedir" para fazer algum movimento.

— Tristeza, muita tristeza — disse Alberto.

— E como isso vem a seu corpo?

Alberto colocou a mão direita bem no meio do peito e ficou assim por alguns minutos.

— Senti isso uns dias antes de infartar... Foi quando ficou claro pra mim que tinham desconsiderado meu trabalho — disse, fechando os olhos, enquanto uma lágrima escorria lentamente do canto do olho esquerdo.

— Ótimo, mergulhe nisso... Dê espaço a si, e vamos ver aonde isso leva.

O tempo passava devagar, mas Amanda sentia a densidade do que estava acontecendo ali. Alguns minutos depois, Alberto voltou a falar:

— Fui até meus doze anos. Meus pais discutiam muito, e meu pai saiu de casa — disse ele, depois fazendo uma pausa. — Lembro que repeti de ano na escola. E a partir daí tive pouco contato com meu pai.

Mike esperou alguns segundos e falou:

— E como isso vem a seu corpo?

Alberto voltou a colocar a mão no peito, só que dessa vez desatou em um choro convulsivo, seguido de um uivo profundo. Amanda arregalou os olhos com o que estava presenciando. Tinha medo de que ele infartasse novamente. Mike nem se mexeu. Alberto passou a soluçar como uma criança perdida. Balbuciou a palavra "pai" algumas vezes. Suspirou, balançou-se para a frente e para trás, até que seu corpo serenou. Poucos segundos depois, ele abriu os olhos. Encontrou os de Mike o encarando ternamente. Assim ficaram por longos três minutos, de acordo com o relógio de Amanda. Até que Mike falou:

— Agora vamos voltar para a cena no ministério, quando você foi substituído. — Esperou alguns segundos e prosseguiu: — Entre nessa situação novamente... Como você a sente agora?

Mike voltou a cravar fundo, pensou Amanda. Alberto mirou a janela outra vez.

— Estranho...

— O quê, Alberto?

— Está... tranquila?

— De zero a dez, quanto ela incomoda você agora?

— Um ou dois.

— Então, observe o que ainda o incomoda.

— É só um lamento que ainda ficou. Sinto um pouquinho aqui. — Alberto apontou para um ponto logo abaixo da garganta.

— Observe isso um pouco mais e me avise quando zerar.

Alberto levou um minuto para suspirar mais uma vez e dizer:

— Zerou.

— Ótimo, Alberto. Você já pode tirar os fones. Tem alguma coisa de que você precise nesse momento ou queira comentar antes de encerrarmos?

Depois de titubear por um momento, Alberto respondeu:

— Acho que preciso de um abraço.

Mike nem respondeu... Simplesmente se levantou e o abraçou. E os dois ficaram abraçados por alguns segundos enquanto Amanda sentia seu queixo tremer e a imagem embaçar com as lágrimas que brotavam de seus olhos. Quando se afastaram, o rosto de Alberto exalava um misto de alívio e alegria.

— Obrigado a todos por estarem comigo.

— *Coffee break* — disse Mike.

Amanda foi a primeira a se aproximar de Alberto e lhe dar um abraço bem mais apertado do que estava acostumada. Tânia não aguentou esperar e o abraçou pelo lado, passando o braço por Amanda também.

— Que lindo, que lindo! — sussurrava, baixinho.

Amanda ficou um pouco constrangida e começou a se soltar devagarinho. Viu os outros esperando para abraçá-lo.

Mike estava à vontade segurando seu café quando Amanda se aproximou da mesa. Serviu-se e ficou ali com ele, balançou a cabeça, sem saber o que dizer. Na verdade, não sentiu necessidade de dizer nada, só queria ficar ali do lado dele. E ficou.

Na volta do *coffee break*, Mike pediu que Alberto compartilhasse sua experiência.

— Olha, é difícil explicar — disse, com as sobrancelhas elevadas. — Quando me dei conta, eu estava naquela cena de novo, e um filme começou a rodar na minha mente. Aliás, no meu corpo as sensações iam mudando, ora devagar, ora mais rápido. Teve um momento em que eu estava com muita raiva e me vi dizendo para o meu chefe tudo o que não disse naquela ocasião. Nessa hora, veio um calorão e me vi segurando os braços, dando umas sacudidas fortes nele para que me ouvisse. Minha raiva foi passando, aquela pressão na cabeça se dissipou, minha mandíbula relaxou. Senti a tristeza afundando meu peito pra dentro. Era assim que eu me sentia nos dias antes do infarto. Desolado. Minha mulher lá, sem saber como me ajudar, e eu, perdido, impotente, me achando um bosta. Foi quando me vi garoto, observando meu pai fazer a mala. Lembro que eu estava sozinho no meu quarto e fiquei alguns minutos paralisado de angústia, enquanto presenciava aquela cena. A impotência era a mesma. Revivi isso como se ele estivesse ali naquele ponto da janela, olhando na minha direção, com a mala em cima da cama, as roupas... Torcia desesperadamente que ele parasse em algum momento, desistisse, mas ele fechou a mala, veio até mim e disse: "Tchau, filho, depois a gente conversa". Me deu um beijo, um abraço rápido e partiu. Estou esperando essa conversa até hoje. — Alberto olhou para Mike.

— Seu pai ainda é vivo?

— Sim, está com setenta e seis anos.

— Vocês ainda têm chance, então.

— É... — disse, olhando para Mike. — Eu caí no choro quando revivi a cena dele indo embora. No dia, não cheguei a chorar, fiquei mais angustiado do que triste. Achei que o encontraria logo depois e que as coisas poderiam voltar ao normal. — Ele fez uma pausa. — Então, a dor do peito foi passando... Teve uma hora em que eu senti um pouco de frio, mas depois me restabeleci. Quando abri os olhos, vi você me olhando... parece que me senti aterrado... por um momento, quis parar de olhar pra você, imaginando o que os colegas estariam pensando. — Riu nervoso, junto com todos. — Eu estava me sentindo tão bem, como se meu peito se expandisse preenchido, por isso fiquei ali...

— E agora, como você sente o seu corpo?

Alberto abriu os braços e soltou um "aaaaaaaah".

— Acho que entendemos, não? — brincou Mike. — Você já havia feito a ligação entre a situação do trabalho e a do seu pai?

— Nunca. Mas pra mim ficou claro que o que eu vivi há quase três anos foi mais duro porque essa história com meu pai me abalou muito e não tinha se resolvido dentro de mim. Nas duas situações, fui deixado de lado.

— Está claro o que eu disse sobre um insight de corpo inteiro, de baixo pra cima?

— Totalmente. Além de me dar conta, sinto isso bem mais tranquilo dentro de mim. Antes, eu simplesmente evitava pensar no meu pai e nunca fiz terapia pra remexer esse assunto.

— Esta é a estratégia que estamos acostumados a usar na nossa cultura: evitar pensar no problema. É como varrer pra baixo do tapete e se acostumar com o que está escondido bem ali no meio da sala. Com a psicanálise, talvez você se desse conta de algumas dessas questões, o que já seria um belo avanço, mas é pouco provável que tivesse conseguido esse grau de resolução e alívio.

— Agora de fato está claro pra mim o que é esse mergulho nesse espaço diferente. Engraçado, realmente não é algo racional nem verbal. Se fosse com a mente racional, estaria só olhando pra dentro do mar com a máscara de mergulho.

— Exatamente, com o snorkel que a terapia falada lhe fornece. E como não acontece a resolução real do drama interno, você ficaria em um carrossel girando nesse assunto, dando voltas e voltas. Agora eu gostaria de saber de você: como essas duas situações, tanto a do seu pai quanto a do trabalho, afetaram sua autoestima? Que crenças elas geraram em você sobre si mesmo? Essas crenças centrais, como as chamamos, geralmente começam com a palavra *eu*.

Alberto refletiu por alguns segundos com a mão no queixo.

— Quanto a meu pai, eu me senti abandonado... O que me veio foi *eu não sou importante*, algo assim. No trabalho, *eu não tenho valor*.

— Depois desse processamento, como estão essas crenças?

— Bem mais fracas — disse ele. Depois, fez uma pausa. — Agora eu entendo também por que eu fazia de tudo pra agradar aos meus chefes: na verdade, acho que não queria ser abandonado de novo. Era como se tivesse que provar pra ele, meu pai, que eu tinha valor.

— Se pudesse estimar de zero a cem, que porcentagem você escolheria para indicar que é importante, que tem valor?

— Uns setenta por cento.

— E até uma hora atrás?

— Uns vinte por cento! — disse ele, abismado.

— Você parece contente com o resultado, mas eu quero lhe pedir uma coisa para os próximos dias do seminário: busque na memória outras situações que podem ter abalado sua autoestima. Sejam fatos pontuais ou contextos, relações... A ideia é mergulhar pra encontrar outros tesouros perdidos e chegarmos a noventa ou cem por cento. Você topa?

Alberto assentiu.

Mike completou:

— Obrigado por compartilhar sua história e seu processamento.

— E nós? — Tânia logo quis saber.

— Todos que quiserem terão a oportunidade de vir aqui no centro comigo nos próximos dias.

— Como é o nome dessa técnica mesmo? — perguntou Paula.

— *Brainspotting*. Seu criador é David Grand, um cara muito sagaz.

— Você o conhece?

— Sim, sim, fiz a formação com ele, depois um retiro intensivo. As duas sessões que ele fez comigo em grupo foram muito transformadoras, mesmo tendo abordado assuntos que eu achava que estavam resolvidos.

— Como seria bom se tivéssemos essas terapias no Brasil... — disse Tânia.

— Mas tem! — afirmou Mike, instantaneamente. — Não muitos terapeutas, é verdade, porque essas técnicas não fazem parte do currículo das faculdades de psicologia, mas isso é outra história. Felizmente, há cada vez mais terapeutas que praticam o *Brainspotting* e outras terapias de eficácia similar, como o EMDR, que em português quer dizer Dessensibilização e Reprocessamento por meio dos Movimentos Oculares, e a Experiência Somática. Procurem esses profissionais. Agora vocês vão fazer uma técnica de processamento com áudio. Alberto está liberado da atividade!

— Eba! — disse Tânia, esfregando as mãos.

Mike abriu a gaveta na mesinha a seu lado e tirou seis aparelhos de MP3 com fones de ouvido.

— Vocês vão ficar com esses aparelhos de MP3 até o fim do seminário e vão usá-lo quando sentirem que é um bom momento. Agora eu gostaria que vocês cinco escolhessem uma situação dolorosa, mas não a pior da vida de vocês. O aparelho já está no ponto pra vocês usarem uma ferramenta chamada PREP, que quer dizer Processamento e Recodificação de Emoções e Pensamentos. Eu vou ficar aqui observando vocês, à disposição, caso tenham algum problema. Acomodem-se e comecem quando quiserem. Temos cerca de uma hora pra essa atividade. Alberto, você está livre pra dar uma volta pelo castelo e retornar em quarenta e cinco minutos.

Amanda permaneceu no canto do sofá. Sentia-se segura ali. Estava curiosa para saber como seria, mas também tinha medo de cair no choro. Seria bom mesmo escolher algo não muito pesado. Vasculhou sua memória, e Carlos logo apareceu, porém descartou a ideia. Sua mãe? Também não, muita coisa podia surgir dali, pelo que já havia trabalhado durante a terapia. Ah, o vestibular! Ou melhor, os vestibulares... Amanda ajustou os fones no ouvido, se acomodou e apertou o *play*.

O primeiro áudio se chamava "Local de bem-estar" e pedia que ela buscasse na memória um lugar em que se sentia bem, segura, um local verdadeiro ou imaginário, e percebesse a sensação que ele provocava no seu corpo. Um som suave que se alternava entre o ouvido esquerdo e o direito parecia ajudar a relaxar e entrar nessa sensação. Amanda se lembrou do sofá da sala de sua avó e do cheirinho de bolo de quando passava os sábados com ela. Depois havia a instrução de que, se em algum momento do áudio seguinte viesse à mente a lembrança de um sofrimento intolerável, ela deveria imediatamente voltar a tocar o "Local de bem-estar" pra se centrar. *Improvável para essa situação*, pensou ela.

O segundo áudio era o PREP propriamente dito. A orientação era de que fechasse os olhos e entrasse nas cenas e imagens do momento que gerou sofrimento... A mente de Amanda voou para o segundo vestibular em que não viu seu nome na lista de convocados. Estava sozinha na rua, segurando o jornal. O áudio pediu para prestar atenção às emoções e sensações do corpo naquele momento. Ela sentiu um peso nos ombros, o peito um pouco apertado.

A pergunta que ouviu no áudio questionava qual era a nota, de zero a dez, para a intensidade daquele sofrimento. Veio a nota cinco, e logo Amanda ouviu a instrução de que o processamento ia começar. No áudio, ouviam-se sons bilaterais, às vezes intensos, intercalados com o som das ondas do mar, com algumas instruções por voz. Sua mente despertou num turbilhão de imagens: a corrida até em casa chorando, a ida direto para o quarto, o desamparo quando se agarrou ao travesseiro, cenas dela estudando, das provas, do ônibus que pegou tantas vezes para ir ao cursinho, da amiga que passou... Ao mesmo tempo, seu corpo reagia estranhamente àquilo tudo; suas pernas formigavam, depois sua cabeça começou a pesar, o aperto saiu do peito e foi para a barriga... Seu sofrimento aumentava, depois diminuía de um momento para o outro. Chegou a ficar forte, mas era suportável.

Lembrou-se do primeiro ano de vestibular: sabia que teria de passar em uma faculdade pública e que seria muito difícil; seu namorado de então, Luís, a abraçou quando confirmaram que não havia passado. Vieram cenas da infância, quando brincava de médica com suas bonecas, o ketchup roubado da geladeira para "sangrar" durante a cirurgia, a mostarda que colocou na barriga de uma delas e aspirou com uma seringa como se fosse pus, as broncas de sua mãe por causa daquela sujeira... Começou a rir de si mesma por dentro, até que se viu na casa de Marcelo, que namorava na época do terceiro vestibular. Estava com a lista de aprovados na mão e corria o dedo indicador... Adrianas, Adrianos, Alexandres, Alices, virou a página e viu

Amanda Campos, código do curso de Medicina. Gritou de alegria e pulou em Marcelo, as pernas envolvendo seu corpo, que corcoveou como um touro de rodeio berrando, até que ele perdeu o equilíbrio e caiu sobre a mesa da sala; ele se protegeu com os braços e ela bateu com a lateral da cabeça. Naquele momento, sentiu seu braço direito tenso e uma pontada bem onde se formou o galo que a acompanhou por três ou quatro dias.

Que coisa, pensou, ao resgatar a memória que seu corpo ainda carregava. Mexeu o braço para cima e para baixo e levou alguns segundos para voltar a sentir a felicidade de ter passado, de ter contado para seu pai por telefone, de ficar atirada com Marcelo no sofá por horas com a bolsa de gelo na cabeça, imaginando como seria estar na faculdade. Ficou assim por mais um momento, revivendo aquela sensação.

Logo depois, o áudio mudou e a voz pediu para pensar nos aspectos positivos daquela situação. Agora estava claro para ela. Tinha conseguido a duras penas alcançar aquilo com que tanto sonhou. Parece que tinha mais valor por ter se esforçado tanto. Foi bom entrar no curso um pouco mais velha. A voz pediu para entrar na cena original e avaliar quanto a incomodava naquele momento. Amanda se viu novamente com o jornal na mão sem seu nome, mas desta vez estava em paz com aquilo, aceitava a própria história sem brigar com ela mesma e sem se julgar. Sua nota, agora, era um. De acordo com a nova instrução, ela deveria seguir para o próximo áudio se a intensidade fosse um ou zero ou tocá-lo novamente se fosse dois ou mais. Deixou correr.

No áudio seguinte, "Reforço do positivo", ela foi orientada a pensar em uma frase simples e positiva começando com a palavra "eu" que representasse a resolução daquela situação. Primeiro, Amanda pensou em "eu posso"; depois, "eu consigo". Os novos estímulos sonoros eram lentos e compassados, e ela sentia aquele pensamento reverberar em seus sentimentos. Alguns segundos depois, brotou o pensamento *Eu tenho meu valor* e sentiu aprofundar a sensação no seu corpo e nos seus sentimentos. Os sons desapareceram lentamente, e ela abriu os olhos. Estava praticamente deitada no sofá. Mike estava ali, presente, calmo, olhando para ela. Amanda se sentou e tirou os fones.

— Uau! — Foi a única coisa que saiu de sua boca, antes de arrumar o cabelo e a roupa.

Mike se virou para Tânia, que, pelo jeito, também voltava do mergulho. Ele se aproximou e falou baixinho que podiam pegar um chá se quisessem, mas sem fazer barulho. Os outros ainda estavam no processamento e tinham tocado o PREP pela segunda vez, por isso demorariam mais uns vinte minutos. Tânia e Amanda serviram-se de chá. Tânia chamou-a para saírem da sala e sinalizou para Mike, que consentiu. Assim que pisaram no hall, ela falou:

— Menina, o que é esse negócio? — disse, segurando no braço de Amanda.

— Forte, hein?

— Sim, mas de fato é libertador... Eu pensei em todas as minhas clientes que desdenharam de mim ou mostraram preconceito por eu ser baiana e negra. Vieram tantos sentimentos, estava tudo escondido num porão. Mas foi ficando tão claro que a maioria delas sempre me tratou bem! Parece que a parte de mim que se sentiu rejeitada fez assim. — Ela fez um gesto com as mãos para cima. — Evaporou, sei lá.

— Ou se acomodou melhor aí dentro, talvez.

— Pode ser. Parece que estou mais inteira. E como foi pra você?

Amanda contou do seu processamento e se sentiu mais à vontade com Tânia. Ela era intensa, mas muito aberta e sincera. O tempo passou depressa, até que Mike as chamou de volta. Alberto já estava na sala. Quando todos se sentaram, ele disse:

— Muito bem. Para finalizar essa atividade, gostaria que vocês me dissessem somente três coisas: a nota do incômodo no início, no fim e uma palavra ou uma frase que resuma o que ficou desse processamento. Fernando?

— Começou com cinco, foi pra dois. Aliviado.

— Tânia?

— Foi de oito pra zero. Estou mais inteira.

— Amanda?

— Caiu de cinco pra um, mas no meio subiu pra oito e então desceu. Aceitação das minhas dificuldades e reconhecimento do meu valor.

— Ótimo. Paula?

— De sete pra dois. Leveza.

— Carol?

— Comecei com seis e foi pra um. Digna de amor, de ser amada.

— Muito bem. Eu estou aqui como facilitador, não como terapeuta de vocês, e não vamos entrar sempre nos detalhes da história de cada um. Meu objetivo é que vocês sejam os protagonistas do seu processo de cura, de remodelagem da autoestima. Agora vamos compartilhar mais algum segredinho, uma vergonha que tenham passado, algo que mostra o lado mais frágil, idiota, patético, que todos temos e que nos faz tão humanos. Alguém quer começar?

Carol pediu a palavra.

— Eu tenho vergonha do meu nariz.

— Mas o que é isso, minha fi... — Tânia começou a dizer, mas Mike a interrompeu com um gesto firme.

— Acho ele meio pra baixo e queria que fosse menor. Meu ex me fez jurar que eu não faria plástica, mas ainda penso em fazer.

— Obrigado, Carol. Quem mais?

— Eu tenho dificuldade de confiar em mulheres — disse Paula, para a surpresa de Amanda.

Mike acenou com a cabeça e esperou. Alberto resolveu falar:

— Eu sempre me achei um cara de bom coração, mas hoje descobri que eu nunca perdoei meu pai. E me envergonho disso. Só olhava pra mim como o menino abandonado, a vítima daquela situação.

— Obrigado, Alberto.

Amanda não tinha preparado nada para falar e nada vinha em sua mente. O silêncio estava ficando constrangedor quando Fernando falou:

— Eu achava que poderia ser o melhor jogador de futebol do mundo, quando mal tinha ideia do que era ser jogador de futebol.

Mike agradeceu com um sinal de cabeça e olhou para Amanda, que olhou para Tânia, que disse:

— Eu fico constrangida com o cheiro da minha vagina. Nunca ninguém reclamou, mas é uma coisa que me incomoda.

— Obrigado, Tânia.

O que vinha na cabeça de Amanda era forte demais, e ela não se sentia ainda à vontade para falar, nem mesmo depois da revelação de Tânia.

— Quando eu estava me estabelecendo como professor da universidade — disse Mike —, bolei um projeto de pesquisa muito interessante, mas além das minhas capacidades na época. Por causa da minha arrogância, levei muito tempo a reconhecer esse erro. Culpava a instituição por não ter condições de fazer pesquisa, competia muito com meus colegas e fiquei bastante estressado tentando atingir o inatingível. Esse, inclusive, foi um dos motivos que custaram meu emprego.

Recriminou-se por ter ficado para o fim outra vez. Não dava mais para escolher. Disse o que veio à cabeça:

— Meu casamento acabou por causa de uma traição do Carlos. — Seu coração disparou. Sua intenção era falar mais; no entanto, não saía nada. Só olhou para baixo.

— Obrigado, Amanda — disse Mike, levantando os braços para o ar, convidando todos a respirar fundo. — Aaaaaaaah!

— Aaaaaaaah! — soou o coro, com risos de alívio.

— Os aparelhos ficam com vocês, mas não os usem mais hoje, por favor. Nos vemos no jantar daqui a duas horas.

A respiração não tinha sido suficiente para Amanda se recompor. Havia tocado num ponto muito sensível. Só queria descansar um pouco depois de tudo que tinha vivido naquele dia. Resolveu, então, circular pelo castelo em vez de ir para o quarto. Passou pelo pequeno bar com balcão de madeira e quatro banquinhos. Seguiu por um longo corredor cujo piso rangia até chegar a uma porta marrom-escura. Abriu e entrou numa saleta arredondada que acabava em três grandes janelas que iam até o chão, emolduradas por cortinas de veludo cor de vinho. *Estou em uma das torres do Castelo de Evelix*, pensou. O teto tinha detalhes em relevo, e as paredes eram levemente esverdeadas, o que harmonizava com o grande tapete persa e as pinturas com molduras em bronze. O sofá vermelho de quatro lugares dava de frente para a lareira e parecia bonito demais para ser confortável. A alta poltrona de couro perto das janelas atraiu seu olhar. *Que dia*, pensou, atirando-se. Não era tão fofa quanto ela gostaria, mas seria o suficiente para acomodá-la enquanto refletia um pouco olhando para a penumbra do bosque.

Confirmando as suspeitas da sua terapeuta, parecia que parte dos problemas de Amanda tinha origem no fato de não ter se sentido suficientemente amada e de guardar ressentimentos em relação à sua mãe. Enquanto pensava na hierarquia da mente e no modo como o cérebro é organizado, ficou mais claro para ela por que era tão difícil para alguns pacientes controlar a alimentação, que era uma função do cérebro reptiliano. Viu Alberto ressuscitar de uma, ou melhor, de duas dores profundas que quase lhe custaram a vida. Ele parecia bem melhor, mas convinha esperar alguns dias antes de se deslumbrar com os resultados.

Gostaria de ler alguns estudos científicos para assegurar-se do que estava vivenciando; contudo, isso não era possível no momento. Podia basear sua avaliação no que experimentou em seu primeiro processamento. Reconheceu que foi impactante. Lembrou-se de novo da sua frase: "Eu tenho o meu valor". Pegou no sono com um leve sorriso nos lábios.

Acordou assustada. Verificou que faltavam vinte minutos para o jantar. Se conseguisse ser rápida, daria tempo de se arrumar um pouco. Não estava a fim de se produzir mesmo. Queria comer no quarto e dormir, mas não tinha essa opção.

No bar, passou por Fernando, que fazia pose com seu *scotch* enquanto conversava com Carol. Ela estava apoiada no balcão mexendo no cabelo. Seguiu para o quarto, incomodada com aquela cena e por estar com uma expressão assustada quando passou por eles.

Em poucos minutos, estava pronta, com a cara de sono pelo menos disfarçada.

Quando chegou à sala de jantar, Mike já estava sentado em seu lugar de sempre, ouvindo Tânia, que gesticulava muito. Alberto e Paula conversavam no outro canto da mesa.

— Amanda! Estou contando para o Mike detalhes do meu processamento!

— A Tânia é uma figura! — disse ele para Amanda e, virando-se para Tânia, continuou com a conversa: — E daí, você correu com ela do salão, com a cabeça cheia de tinta e papel-alumínio?

— Com certeza, ora! Vem dar de gostosa no meu salão?! Tratou mal funcionária minha, é rua. Se não fosse assim, eu ia descer o cacete nela!

Mike gargalhava quando Emily apareceu com um enorme prato de cerâmica coberto com batatas fatiadas douradas. *Lancashire hotpot* foi o que ela disse antes de retirar-se.

— Hummm, um dos meus favoritos — disse ele, levantando-se para chamar Carol e Fernando.

— O cheiro está divino! — disse Tânia, servindo-se.

— Esse prato tem de ficar algumas horas em forno baixo — explicou Mike. — É feito com cordeiro, cenouras e quaisquer outros legumes que você tiver na geladeira. Não é escocês, e sim de Lancashire, no norte da Inglaterra, perto daqui.

— A Grã-Bretanha é famosa pelos seus pubs, mas não pela comida — avaliou Carol, reparando no molho espesso e gorduroso do cordeiro ao receber seu prato.

— E pelas bebidas, tanto a cerveja como o uísque — emendou Fernando.

— É verdade, mas alguns chefs famosos são daqui, como o Gordon Ramsay e o Jamie Oliver — disse Paula. — E já ouvi de um inglês que a Inglaterra é muito aberta para restaurantes e gastronomia exatamente porque a comida típica deles é de bar mesmo.

A Amanda de antes do seminário até entraria naquela conversa; entretanto, tudo parecia superficial demais naquele momento.

— Vamos experimentar amanhã — disse Mike, preparando sua primeira garfada. — Vamos a um pub em Inverness. Os pais do Jamie Oliver eram donos de um pub, inclusive. E o Gordon Ramsay, embora seja escocês, foi com cinco anos de idade para Stratford-upon-Avon.

— Terra do Shakespeare — interrompeu Paula.

— É por isso que ele não tem sotaque escocês. Hummm, digam o que quiserem, mas a Emily é uma cozinheira de mão cheia! Vem do coração.

Amanda tentou mudar o rumo da conversa e puxou assunto com ele:

— Está uma delícia mesmo. Mike, você dá esse seminário para americanos também?

— Aham — disse ele, com cara de criança, enquanto acabava de mastigar. — Três turmas por ano são de americanos, e uma é de brasileiros.

— Logo no inverno pra nós, Mike? — disse Fernando.

— Bem, pelo menos isso é novidade pra vocês. O Brasil é tropical, convida as pessoas a ir para a rua. O frio ajuda a ficar mais introspectivo.

— Você nota muita diferença entre brasileiros e americanos no seminário? — continuou Amanda.

— No geral, é bem parecido no que diz respeito à autoestima e ao binômio aparência e performance, com o externo como referência. Para os homens americanos, é muito forte a história de ser um vencedor ou um perdedor. E não há afetividade corporal. Só consigo um abraço na despedida e, ainda assim, é meio duro e rápido. Lembro-me de uma palestra em 2013, quando o Peter Levine fez a demonstração de um atendimento em que ficou com a ponta do pé encostado na ponta do pé da paciente. Sua intenção era dar a ela um esteio, uma base afetiva por meio do corpo. Vi meu vizinho de cadeira ficar inquieto com aquilo. Na hora das perguntas, quando um participante questionou sobre o pé encostado no dela, ele foi veemente: "Isso é um problema para nós porque vivemos em um país privado do toque". O público respondeu com um aplauso intenso, até eu fiquei chocado. Suas palestras foram as mais concorridas e emocionantes. Aliás, ele adora o Brasil, tanto que já visitou o país diversas vezes. Eu aproveitei pra dar um abração nele, fazia anos que não o via. Ele é um dos raros americanos que eu conheço que sabem abraçar assim, de corpo inteiro, com o coração — disse Mike, cruzando os braços em seu próprio corpo.

— Pelo menos alguma coisa em que somos melhores! — disse Fernando.

— Eu, particularmente, não gosto muito das comparações de quem é melhor ou pior — disse Mike. — São diferenças.

— Mas elas existem e estão na nossa cara. É fácil ver que os Estados Unidos são melhores em muito mais coisas do que o Brasil.

Mike não reagiu à provocação de Fernando. Continuava interessado na comida. Amanda resolveu ajudar.

— No Brasil, somos afetivos, mas não somos sérios. Ser correto e ter compromisso com os deveres é *coisa de otário*, ao contrário do que acontece nos Estados Unidos. Para nós, o que é de fora é sempre melhor. As marcas precisam ter nome em inglês, francês ou italiano pra dar status.

— Certamente essas são fraquezas da personalidade coletiva dos brasileiros. O interessante é que, apesar das diferenças, subjetivamente os dois países têm pontuação semelhante de felicidade. É uma pena que ambos tenham sintomas graves de sociedades desreguladas: a criminalidade, a corrupção e as mortes no trânsito no Brasil, por exemplo, e a obesidade, o narcisismo e os assassinatos em massa nos Estados Unidos. A crise de 2007-2008 foi um sintoma da ganância dos americanos, da obsessão por dinheiro. Pouca gente se dá conta de que a origem de tudo foi psíquica, não somente econômica.

— Se meu valor depende dos bens que eu tenho, vou fazer de tudo pra ter o máximo — disse Alberto.

— Exatamente, mas com um porém: o que faz com que me sinta bem nesse sentido é ter *mais* do que colegas e vizinhos. A mente reage mais a mudanças relativas do que a absolutas. Se eu tenho uma BMW ou um Audi e meu vizinho aparece com uma Ferrari, isso dói. Essa dor se chama inveja. Ambas são culturas de pessoas que se comparam com as outras a toda hora.

— E você não se compara? — cutucou Fernando.

— Sim, comigo mesmo. Há uns vinte anos me dei conta de que era a única comparação que fazia sentido. E até essa comparação faço cada vez menos. Se bem que acabei de dizer que evito comparações e, no entanto, comparei os dois países.

Depois disso, Mike parou de falar. Amanda não sentiu aquilo como autojulgamento, e sim como humildade. Percebeu também que ele estava entrando no seu modo "facilitador" e que prezava aquele momento de simplesmente comer e socializar. A conversa seguiu com as críticas habituais ao Brasil e aos brasileiros. *Opiniões com tom de verdades absolutas*, pensou Amanda, suando pelo calor causado pelo prato.

— *Cranachan!* — Foi a única coisa que ele disse com entusiasmo, quando viu as sobremesas servidas na bandeja por Emily, que falou algumas coisas ininteligíveis. — Emily pede desculpas porque as framboesas são importadas, já que estamos no inverno, e porque, como não conseguiu o queijo *crowdie*, fez o prato com nata batida.

Na verdade, eu que insisto para que ela faça, porque é uma sobremesa de verão e as framboesas da Escócia são bem doces. Por isso, pra ela, é um crime fazer com as importadas. Isso aqui em cima é aveia torradinha e ainda vai mel e... — Apontou para Fernando com um sorriso de cumplicidade. — Uísque!

Fernando respondeu arregalando os olhos, e todos se lambuzaram explorando as camadas de creme e framboesa de suas taças. Amanda adorou a aveia crocante e aprovou o leve toque do uísque contrastando com o mel e o azedinho das framboesas. Mike encerrou a noite dando as instruções habituais, e, dessa vez, todos subiram juntos para seus quartos.

Quando Amanda estava pronta para descansar, viu um envelope em cima da sua cama. Deitou-se e começou a ler.

Autoestima boa

Para alguns, soa estranha a expressão "autoestima alta". A confusão se deve, no português, ao uso dos termos "auto" e "alta". Alguns dizem ter alta estima ou a estima baixa para evitar dizer autoestima alta ou baixa. "Auto" diz respeito a si mesmo, e "alta" quer dizer elevada, o oposto de baixa. Em inglês não existe esse problema, uma vez que se diz "high self-esteem" *e* "low self-esteem"*. Portanto, não há nada de errado em dizer "minha autoestima é alta" ou "minha autoestima é baixa". O que atrapalha, na minha opinião, é conceber a autoestima como se fosse temperatura: está alta, agora baixou... A autoestima é principalmente qualidade, não quantidade. É a qualidade de relação que temos com nós mesmos.*

O objetivo principal deste seminário é ajudá-los a desenvolver uma autoestima boa. BOA. Não precisa ser estupenda ou elevada.

Suficientemente boa. Só isso já tira um peso dos ombros e alivia o peito.

É um tipo de contradição: a melhor versão de si mesmo requer abrir mão de ser a melhor versão de si mesmo.

A aceitação da imperfeição nos faz desistir da perfeição e, assim, nos aproxima dela, mesmo sabendo que nunca existirá. Aliás, desconfiem de tudo o que tem "perfeito" no slogan ou no nome. Geralmente é uma maneira de captar clientes em estágios pouco evoluídos, que ainda buscam esse ideal inatingível.

A caminhada de crescimento em relação à autoestima passa por vários estágios.

No primeiro deles, a pessoa quer ser perfeita porque só assim vai poder gostar de si mesma. Tem a necessidade de fingir e ser adequada perante os outros, trai sua essência ao vestir essa máscara e perde a espontaneidade. Essa é uma dinâmica que afeta quase todos na nossa sociedade na transição para a juventude.

Quando evolui, passa para o estágio de querer a perfeição, mas se contenta em ser boa o suficiente, o que costuma se dar na faixa entre os vinte e cinco e os quarenta anos. Ao se consolidar essa fase, torna-se possível abrir mão da perfeição por entendê-la impossível. Basta ser suficiente.

Na etapa seguinte, não há mais preocupação com o desempenho de ser suficiente ou não. O que importa é ser. É um momento importante de encaixar-se com a sua essência, de abrir mão de referências externas. Essa é uma fase já bastante evoluída, geralmente atingida depois dos cinquenta anos na sociedade ocidental. Ainda há ênfase no ego, mesmo que mais sutil, até que se passa a simplesmente ser. Começa a haver um desapego, um desprendimento maior, acompanhado de paz interior. Não há mais tantas expectativas, portanto as frustrações também diminuem, e o prazer com o que acontece no presente aumenta.

Para os que continuam a evoluir, passa-se ao estágio do não ser, ainda em vida, de difícil compreensão para a maioria dos ocidentais.

Esses são os iluminados, que transcendem a si mesmos e se fundem no universo.

Resumindo:

- *Eu preciso que os outros me validem como perfeito (para gostar de mim).*
- *Eu quero ser perfeito, mas preciso ser bom o suficiente.*
- *Basta eu ser bom o suficiente.*
- *Eu quero ser eu mesmo.*
- *Eu quero simplesmente ser.*
- *Eu sou.*
- *Eu não sou.*

Ter autoestima boa não significa estar acima da média ou ser alguém especial. O foco é outro. Por um lado, compreensão, tolerância e compaixão consigo mesmo. Por outro, a clareza de saber o que se é capaz de fazer bem e construir autoconfiança. O resto fica por conta da vontade natural de evoluir, bem diferente de almejar a perfeição.

Uma vez abertos para o autoconhecimento, que é a premissa para se aprimorar, um conjunto de características importantes da personalidade ajuda a sustentar a autoestima: autoaceitação, autorrespeito, autoempatia, automerecimento, autenticidade e autoeficácia. Elas estão estreitamente entrelaçadas. Quando melhoramos uma delas, há um impacto positivo sobre as outras e sobre a autoestima em geral.

Três dessas facetas estão mais ligados a nosso mundo interno, ao modo como nos relacionamos conosco: autoconhecimento, autoaceitação e autoempatia. Já o autorrespeito, a autenticidade e a autoeficácia influenciam os modos como nos relacionamos com o mundo externo, principalmente com as outras pessoas. Cada um desses aspectos é importante para ter a autoestima boa. Não por acaso, todos se originam, direta ou indiretamente, da palavra "auto". Insisto que esse é o xis da questão. Não é com base no mundo externo e nos outros que se desenvolve a autoestima. Cabe a cada um fazer a sua avaliação de si baseando-se nessas seis características para lapidá-las.

A maioria das pessoas, segundo os estudos, tem limitações em alguns desses pontos. Esse tipo de desequilíbrio de alguma forma se manifesta internamente de diversas maneiras, como sentimentos de inadequação, carência, insegurança e falta de confiança, que levam a dependência emocional, necessidade de aprovação e sensibilidade a críticas. As crenças mais comuns são de não ser suficiente, ser incapaz, não ter valor, assim como a necessidade de ser o melhor ou ter mais que os outros. A autoestima também pode ser irregular, com problemas em determinadas áreas. Por exemplo, uma pessoa pode estar bem consigo em relação à vida profissional e social, mas ser frágil e insegura nos relacionamentos afetivos. Vamos explorar melhor esses aspectos, mas antes é preciso adotar o modo de autoconhecimento.

O modo de autoconhecimento

Tudo começa com a disposição para nos conhecermos mais. Se quisermos ter uma boa relação com nós mesmos, precisamos saber com quem estamos lidando. Isso significa reconhecer que todos temos um lado luminoso, mas também um lado sombrio. Precisamos buscar enxergar o que não gostamos em nós. Esse é o porão, a parte de baixo do iceberg.

Existem essencialmente três modos principais de a mente operar em relação a seu próprio conteúdo. O mais comum é o de autoproteção. Essa postura mostra-se cada vez mais comum em um mundo que estimula o narcisismo e a exposição do que temos de melhor nas redes sociais. A autoestima é tão importante que boa parte das pessoas simplesmente nega os próprios defeitos e limitações. Se nos atacam, nos defendemos, rechaçamos críticas, desprezamos feedbacks. Se isso não funciona, fugimos, seja dormindo demais (o sono é uma reação fisiológica frequente quando o conteúdo emocional é forte demais), comendo demais (principalmente porcarias), nos distraindo (internet, videogame, compras...)

ou nos entorpecendo com drogas lícitas ou ilícitas. A outra possibilidade é contra-atacar o agressor da nossa autoestima ("vou mostrar pra ele" ou "elas vão ver com quem estão falando"). Não medimos esforços para manter a imagem idealizada de nós mesmos por meio da autoafirmação. Incluem-se aqui a necessidade de fazer vários tratamentos estéticos e a busca insaciável pelo poder. Esse modo de autoproteção está na base da autoestima frágil ou da falta de autoestima.

Outro modo é o de autodestruição. Quem domina a cena é o "eu crítico", também chamado de "crítico interno". Podemos ficar horas remoendo sobre os fatos que causaram algum tipo de dor emocional. A mente fica cavoucando o passado com um tom autopunitivo, ruminando fatos recentes e antigos que confirmam nossa falta de valor. Esse é um caminho muito eficaz para entrar em depressão. Podemos chegar a ofensas e a um nível de cobrança interna que nunca seríamos capazes de impor a alguém. Esse "eu crítico" é muito mais ativo em quem já passou por ofensas e humilhações no ambiente familiar ou na relação com conhecidos. Esse é o modo predominante em quem tem a autoestima baixa.

O modo que mais traz crescimento é o de autoconhecimento. Algumas pessoas o desenvolvem naturalmente, cultivando-o a partir de uma relação honesta consigo mesmas, em geral advinda de um ambiente familiar maduro e saudável. Boa parte das pessoas não teve esse ambiente, mas não se dá conta disso. Há coisas que seria bom ter, porém não tivemos e, por isso, nem soubemos que seriam boas. Afinal, quando somos crianças, não temos parâmetros: o que existe passa a ser o nosso parâmetro. Já as experiências ruins são mais claras na nossa memória. Mesmo assim, conseguimos acomodar uma boa dose no porão e seguir adiante. Para muitos, como foi o meu caso, o modo de autoconhecimento só entra em ação quando se vivenciam dificuldades e perdas significativas.

A tristeza é considerada negativa na nossa cultura, mas ela é um caminho para refletirmos de forma mais profunda sobre o que acontece dentro de nós.

Conseguimos ficar nesse modo quando baixamos as defesas de autoproteção e nos permitimos ser mais vulneráveis. Só assim podemos observar o nosso mundo interno, enxergar o que nos incomoda, de preferência sem os julgamentos precipitados do "eu crítico", buscando entender o que nos fez agir e reagir de tal maneira. Podemos olhar o passado em busca de respostas, mas mantendo um pé no presente. Quando encontramos conteúdos dolorosos, uma autocrítica construtiva ajuda a obter aprendizados. Em paralelo, nos permitimos uma atitude mais compreensiva, que nos leva a reconhecer e aceitar melhor as limitações. Isso é difícil para quem não teve bons modelos em casa, como acontece com muitos. As técnicas de processamento facilitam e aceleram exatamente essas habilidades. Assim, deixamos de ficar perdidos e impotentes sobre o que descobrimos e podemos descobrir muito mais. Quando cultivamos esse modo em nosso interior, nos encaminhamos para uma autoestima boa. Assim, conseguimos suprir faltas, sanar dores e mudar padrões de comportamento oriundos das adversidades vividas desde a infância.

Todos temos esses três modos na nossa mente. Geralmente um deles é predominante e os outros são pouco usados, porém, em determinados momentos, o menos usado pode assumir a posição principal. Se tenho o modo de autoproteção mais forte, nada me impede de entrar em autodestruição ao perceber que fiz uma grande bobagem, quando então sou tomado por culpa, vergonha e raiva de mim. Um dos benefícios de conhecer esses três modos é tomar consciência de qual está operando. Essa consciência vem de um "eu observador", que é a nossa parte mais sábia enxergando "de cima" os eventos que ocorrem na nossa mente. Ele faz parte do modo de autoconhecimento e pode nos resgatar da autopunição ou perceber quando estamos fugindo ou compensando. Cientes desses padrões mentais, podemos escolher conhecer mais ou menos o que habita dentro de nós. O "eu observador" pode ser acessado pela consciência, mas, de início, é preciso prática para acioná-lo propositadamente. Qual é o sinal para ele entrar em ação? As reações corporais ligadas às emoções.

Quando as notar, pare e investigue: o que é isso? Onde se reflete em mim? Já passei por isso antes? Se for possível, aproveite essa oportunidade para utilizar uma ferramenta de processamento, como o PREP, que vocês já conheceram, ou o "Janelas da Alma", que vão conhecer em breve, na mesma hora ou até seis horas depois. Esse é o tempo que uma memória leva para se fechar novamente no porão. Quando se faz terapia semanal de processamento, muitas vezes a mente automaticamente se prepara: o corpo começa a dar sinais logo antes da sessão mostrando algum baú do porão entreaberto a ser explorado.

Também precisamos da consciência do que somos capazes de fazer, dos nossos talentos e vocações. Nem para mais, nem para menos, sabendo também que podemos sempre aprender novas habilidades. É em cima dessas qualidades que se formam nossas crenças de autoeficácia e autoconfiança. Suas raízes estão também na primeira infância, no modo como começamos a atuar no mundo e como nossos pais responderam a isso: se valorizavam nosso esforço ou somente os resultados, se eram críticos demais, indiferentes ou, ainda, se enchiam a nossa bola para nos sentirmos especiais sem termos feito nada de mais.

Autorrespeito e automerecimento

Somos responsáveis por zelar por nossa dignidade. Se tivermos autorrespeito, reconheceremos que nossa vida e nosso bem-estar precisam ser cuidados. Se nos respeitamos, agimos de maneiras que confirmam e reforçam esse respeito, exigindo que os outros lidem conosco de forma adequada. Sentimos que temos direitos como qualquer um, que somos merecedores do que ganhamos e conquistamos.

São muitas as situações em que somos colocados à prova. Podemos nos deixar explorar por namorados, esposos, amantes, familiares, amigos, colegas de trabalho, chefes, atendentes, clientes, autoridades... Sempre haverá alguém demandando algo a mais ou tomando liberdades exageradas. Não é crime. As pessoas de autoestima inflada se sentem no direito de ter tudo o que desejam, demandando como se os outros tivessem a obrigação de servi-las. Podem lançar mão da sedução, de promessas falsas, de vitimização e de chantagens emocionais para driblar nossa defesa. São formas de invadir o território da nossa integridade. Infelizmente, podemos ter vários registros que nos impedem de nos preservar.

É comum a dificuldade de fazer ou dizer algo que desagrade a outras pessoas. Pode haver um registro de ter de ser "bonzinho", "querido", "gentil", evitando a todo custo reprovações. Tudo para não ser considerado egoísta aos olhos dos outros. Só que egoísmo é demandar que os outros se moldem a suas vontades, o que é diferente de zelar pelos próprios interesses e se colocar como prioridade.

Uma palavra que pode ser difícil usar é "não". Quando dita, pode vir carregada de culpa. Dizer "sim" quando se quer dizer "não" é uma ótima maneira de odiar a si mesmo.

Assim como o autorrespeito é uma maneira de não nos deixarmos invadir por coisas ruins, o automerecimento diz respeito a aceitarmos e desfrutarmos de coisas boas.

É comum a dificuldade de aceitar elogios e ser reconhecido pelo esforço. Em vez de "obrigado", dizem "imagina" ou "não foi nada". A dificuldade de cobrar adequadamente por um trabalho também é frequente, mesmo em ofícios que levaram anos para ser lapidados. Quando desejam algo bom para si, logo vem um "mas" como explicação ou desculpa para não terem o que querem. Até ganhar um presente pode vir com o peso da culpa de não se sentir merecedor ou de ficar em dívida. Precisam dar antes e mais, provando a sua "generosidade". Não deixa de ser uma estratégia de manipular o outro, uma forma de ficar com crédito.

Por outro lado, alguns acham que merecem mais do que realmente fazem jus. Esse aspecto "soberano" da autoestima alta geralmente vem de pais que inflacionaram as qualidades dos filhos ou falharam em dar limites claros. Construir a ilusão de superioridade também pode gerar grandes problemas.

Tanto o autorrespeito quanto o automerecimento estão ligados ao valor que damos a nós mesmos. Quem não reconhece o próprio valor pode até inconscientemente buscar situações para ser sugado, ofendido e explorado, principalmente se algo assim aconteceu na infância e na adolescência. Muitas vezes se busca o que é conhecido e familiar, mesmo que seja ruim.

Enfim, a desconfortável verdade é que o modo como as pessoas aprendem a se relacionar conosco depende do que aceitamos delas.

Há um aspecto sutil do autorrespeito que advém de agir com honestidade e integridade. Não dá para trapacear sem perder a admiração por si mesmo. No fundo, comportamentos desvirtuosos cobram seu preço na percepção do valor próprio. É impossível que o "eu interno" não enxergue essas facetas no momento de avaliar-se.

Boa noite,
Mike

Esse texto deixou Amanda dividida. A maior parte de sua vida tinha transcorrido no modo de autoproteção e, no último ano, predominou o de autodestruição. Por outro lado, sentia-se satisfeita por ter finalmente entrado no modo de autoconhecimento. Assim, estava aberta para reconhecer que o autorrespeito não era seu forte e que o automerecimento precisava de lapidação.

Ó, meu Deus, ainda tenho um longo caminho pela frente, pensou, antes de pegar no sono.

DIA TRÊS

impacto

DE MANHÃ, SUA IMAGEM NO ESPELHO parecia usual. Estava escovando os dentes quando levou um choque: não podia acreditar no que seus olhos viam! Sacudiu a cabeça muitas vezes, como em desenhos animados, esfregou as pálpebras e olhou mais uma vez. *Nããããão! Como ele foi aparecer aqui, espetado na minha cabeça?! Pinça, pinça, pinça...* Mirou e puxou aquele cabelo branco asqueroso que ousou invadir seu território castanho. Jogou-o no vaso e deu a descarga. *Ferrou! Estou velha, acabou!*, pensou ao se atirar na poltrona para se recuperar. *Mas que "eu crítico" de merda! Pare e pense.*

Sua mente girava sem coordenar as ideias. Voltou-se novamente para o espelho a fim de vasculhar a cabeça atrás de outros inimigos. *Ufa, nenhum à vista. Voltando, voltando, respire... O áudio!* Lembrou que seria um bom momento para usar o PREP, mas não tinha tempo, já passava das oito e meia. Só conseguiu dar uma espiada pela janela para ver seu amigo peludinho. À primeira vista, não o achou, porém depois o viu perambulando lá embaixo ao pé da árvore.

Terminou de se arrumar e desceu.

— Bom dia! — disse Tânia, com entusiasmo.

Amanda se esforçou para retribuir a saudação na mesma frequência exultante, mas pareceria que estava ironizando o jeito de Tânia.

— *Porridge?* — ofereceu Mike.

— O que é isso?

— Mingau de aveia.

— *Yes, please.* Tem com uísque? — disse Amanda, sem pensar.

— Como? — Paula virou-se com a colher de mingau na boca.

— Brincadeira... Ué, ontem não teve sobremesa com uísque?

Mike olhou com cara de quem não comprou a resposta, mas deixou passar. Amanda resolveu ficar quieta até terminar o café. Saiu um pouco antes de começarem para encontrar a janela abaixo de seu quarto. Quando a encontrou, não viu nenhum esquilo por ali. Olhou para cima, e lá estavam os dois ruivinhos, no galho em frente à sua janela. *Não comecei bem o dia*, pensou, quando ouviu Mike chamar para o início do seminário.

— Hoje vamos iniciar com um exercício rápido. Por favor, sentem-se confortavelmente e pensem numa frase negativa sobre vocês mesmos, começando com "eu...". Escolham o que quiserem e tentem sentir isso.

Amanda escolheu "eu sou uma idiota", e esse pensamento ficou rodando em sua mente. Passou um minuto, até que Mike os interrompeu perguntando quanto, de zero a dez, tinham conseguido sentir aquela frase. Ela não havia sido muito bem-sucedida, no máximo três, mas ele não pediu para explicarem. O que ele fez foi pedir que reproduzissem a postura corporal que consideravam mais coerente com a frase escolhida e deu o exemplo de alguém que pensou "eu sou um fraco". Encolheu-se na cadeira, com os ombros baixos e o olhar para o chão, e disse para ficarem na nova posição dramatizando o conteúdo do pensamento.

Amanda tensionou os ombros, fechou os punhos e começou a balançar negativamente a cabeça. Encurvou-se um pouco e de repente aquele "eu sou uma idiota" ganhou força dentro dela. E cresceu, para sua surpresa e desgosto. Lembrou-se da sua reação ao cabelo branco e do pedido de uísque no mingau. Quando Mike perguntou quanto sentiam aquela frase como verdadeira, percebeu que devia atribuir um sete, pelo menos.

— O que vocês concluem dessa breve experiência?

— Com o corpo relaxado, aquele pensamento não tinha nada a ver comigo — disse Fernando.

— Então, o que isso quer dizer?

— Que o corpo influenciou meus sentimentos mais do que o meu pensamento.

— Alguém mais quer compartilhar sua conclusão?

Paula pediu a palavra.

— É como aquele modelo de ontem. Na hierarquia da mente, primeiro vem o corpo, seguido da emoção, e depois vem o pensamento. Esse fluxo é bem mais forte do que o contrário.

— Engraçado que os assuntos relacionados ao que pensei só surgiram na segunda parte da experiência — disse Tânia.

— Em mim também! — disse Amanda.

— Quando o corpo está envolvido na experiência, conseguimos sentir as emoções e o pensamento como verdadeiros. Isso cria um estado que, por sua vez, pode entrar em sintonia com esses registros da memória. Agora nós vamos assistir a alguns trechos de uma palestra de um professor da Boston University School of Medicine, fundador do Trauma Center. O nome dele é Bessel van der Kolk, um holandês que nasceu no meio da Segunda Guerra Mundial.

Mike ligou a tela e apareceu um homem de barba que falava com a voz rouca. Ele começou dizendo que o trauma é uma experiência que deixa a fisiologia do corpo alterada, e é por causa dessa alteração que o organismo não consegue voltar totalmente a seu estado de relaxamento. Esse processo é muito subjetivo e depende do contexto. Van der Kolk comentou que as pessoas que conseguiram sair correndo quando os aviões bateram no World Trade Center, no 11 de Setembro, tiveram bem menos trauma do que aquelas que foram impossibilitadas de correr e se salvaram assim mesmo. Ele também disse que traumas pontuais de um evento intenso como esse são diferentes de traumas durante o desenvolvimento. Segundo Kolk, milhões de crianças passam por situações de abuso ou negligência, e pouco se fala disso.

O vídeo cortou para uma palestra em que ele conta como entrou em contato com a terapia EMDR. Kolk revelou que achava bizarro alguém ficar olhando para o dedo do terapeuta indo para lá e para cá, mas seus alunos estavam entusiasmados com os resultados. Quando viu o efeito em alguns pacientes que conhecia, seu queixo caiu. Alguns casos graves tinham melhorado em três ou quatro sessões. Ele contou sobre uma paciente que se cortava e tinha pensamentos suicidas recorrentes que conseguiu se estabilizar em oito sessões. Esses resultados o estimularam a comparar o EMDR com o antidepressivo fluoxetina, o famoso Prozac®, em pacientes com transtorno de estresse pós-traumático. Os resultados do EMDR foram bem superiores ao da fluoxetina, e os pacientes que fizeram essa terapia aparentemente bizarra continuavam a melhorar mesmo com o término do tratamento. Um ano depois de encerradas as sessões, sessenta por cento dos pacientes não apresentavam sintomas significativos contra zero por cento dos pacientes do grupo que recebeu fluoxetina, os quais só tiveram uma melhora transitória dos sintomas de depressão, ansiedade, irritabilidade e das lembranças traumáticas que pipocavam na mente.

Em outro trecho, Kolk afirma que não via melhora alguma quando, no começo da carreira, pedia que as vítimas de trauma compartilhassem suas experiências para um grupo ou para ele no consultório. Entretanto, quando seus pacientes com transtorno do estresse pós-traumático passaram a fazer ioga, a melhora foi aparente. No seu estudo, com dez sessões de uma hora, cinquenta e dois por cento dos pacientes tiveram melhora significativa contra vinte e um por cento do grupo de controle, que frequentaram um grupo de apoio. Por fim, no último trecho, ele enfatizou que a terapia falada é muito boa para coisas difíceis de dizer, como segredos. No entanto, para se curarem traumas, é necessária uma abordagem que envolva o corpo. Daí o título do seu livro, *The Body Keeps the Score*.

Mike fechou a tela e emendou:

— A tradução do título desse livro não é fácil. Seria algo como "O corpo guarda a contagem" ou "O corpo marca os pontos", como se fosse um jogo. Algum comentário?

— Eu tenho uma dúvida — disse Carol. — Por que você está nos mostrando esses vídeos de trauma? Pra mim, isso vai ajudar pouco, porque nunca sofri nenhum trauma.

— Boa pergunta. Um acidente grave, um assalto à mão armada, a morte de uma pessoa amada, a perda inesperada do emprego ou uma traição são eventos que abalam a maioria das pessoas. Alguns conseguem lidar bem e se recuperam; para outros, contudo, é um baque, uma rachadura. Essas são as pessoas que ficaram realmente traumatizadas. Mas existem traumas com "t" minúsculo e dramas pessoais menores, como a crítica de um professor, o esquecimento do seu aniversário pelo namorado ou o esquecimento de uma filha na escola.

— Aquilo foi um trauma pra mim?

— Eu que pergunto: abrir essa memória trouxe desconforto, algum sofrimento pra você?

— Sim.

— Então, podemos chamar isso de trauma ou de memória dolorosa. Mas é preciso destacar que o trauma depende de como a pessoa reagiu ao fato e ao contexto. Está mais ligado à experiência subjetiva do que ao fato em si. Sua experiência foi bem negativa naqueles quinze minutos, certo?

— Sim — disse Carol, olhando para baixo.

— Talvez não tivesse sido, se mais três colegas estivessem na mesma situação que você, se sua mãe tivesse explicado o que aconteceu e perguntado como você estava ou se lhe desse um abraço pedindo desculpas pelo atraso.

— Entendi.

— Temos que levar em conta que, na infância, somos dependentes dos pais e cuidadores — disse Mike para todos. — É um período de vulnerabilidade e, se ocorrem experiências traumáticas nos primeiros anos de vida, raramente temos memórias conscientes. Ainda assim, elas estão dentro de nós e se traduzem em modelos internos de funcionamento em relação a nós mesmos, os outros e o mundo.

Amanda resolveu perguntar:

— E quando são vários traumas de "t" minúsculo?

— Bem levantado, Amanda. Pra facilitar, eu chamo de trauminha e traumão. Vários trauminhas têm enorme repercussão na vida de uma pessoa. Eles reforçam um padrão. A repetição cria uma regra, e a mente generaliza aquela experiência pra outras situações de contexto semelhante. Quando um evento negativo ocorre uma vez, entendemos que foi algo que *aconteceu*. Quando ocorre uma segunda vez, passamos a entender que é algo que *acontece*.

— E temos como limpar esses vários trauminhas? — Paula quis saber.

— Sim, com as técnicas de processamento de memórias que envolvem o corpo. Durante o processamento, podem até mesmo acontecer movimentos involuntários, o que provavelmente tem relação com esses registros.

— Eu percebi isso no Alberto! — disse Amanda, empolgada. — Até queria ter perguntado. Dava pra perceber pequenas contrações no ombro e no braço dele.

— Eu lembro que senti muito meus braços, mas não me lembro dessas contrações — comentou Alberto.

— Elas aconteceram de fato — confirmou Mike. — Alguns perceberam, outros não. O que importa é que há essa liberação e aquele conteúdo é novamente integrado.

— Não podemos chamar de adversidades em vez de trauma? — perguntou Fernando.

— Quando usamos a palavra *trauma*, o foco está mais na pessoa e em como ela reagiu a isso, ao passo que *adversidade* tem mais a ver com o fato em si. Agora está na hora de fazermos uma sessão de processamento. Nós vamos usar a técnica mencionada pelo professor Van der Kolk, o EMDR. Ela foi criada há mais de vinte anos, por uma brilhante psicóloga americana chamada Francine Shapiro. Um dos maiores méritos dessa terapia é que já foi avaliada em vinte e cinco estudos científicos que demonstraram sua eficácia. Alguém se habilita?

Amanda estava preparada para se candidatar, mas ficou com receio de experimentar a nova técnica. Tinha ficado impressionada com o processamento de Alberto com o *Brainspotting* e resolveu esperar uma nova oportunidade. Paula se voluntariou, e Mike a convidou para ir ao centro, junto dele.

— Muito bem, Paula, o que você gostaria de trabalhar?

— A confiança. Ou melhor, a falta de confiança nas mulheres.

— Certo. Você lembra desde quando sente essa desconfiança?

— Desde que eu era criança, acho.

— E que experiências negativas você associa a essa desconfiança?

Paula começou a mordiscar seu dedo indicador, até que espremeu seus olhos.

— Você parece ter detectado alguma memória relevante. Quer nos contar?

— Pode ser. No ensino médio, todos os meus colegas foram convidados para a festa de uma menina, menos eu.

— Você pode entrar em contato com as cenas e imagens dessa memória?

Paula fechou os olhos e se concentrou. Mike continuou, com uma voz mansa:

— Lembre-se de como você se sentiu naquele momento... Perceba as emoções que surgiram e como isso se expressa no seu corpo agora.

— Vem uma dor aqui na cabeça. Um ódio.

— Ótimo. Agora, mantendo a conexão com isso que você está sentindo, vamos voltar no tempo pra explorar se em algum outro momento você sentiu algo semelhante.

Paula levou alguns segundos para responder.

— Estou lá. Era bem menor, devia ter uns nove anos. Meu pai melhorou de vida, e eu entrei numa escola particular.

— Hummm, continue.

— Eu não me adaptei bem à escola durante um tempo, me sentia perdida lá. Até que um dia, uma menina que fazia parte de um grupinho perguntou se eu queria brincar com elas no recreio. Eu disse que sim, fiquei supercontente. Na hora do recreio, eu me aproximei pra ficar com elas, mas elas não me deram bola, não me chamaram pra participar da brincadeira. Eu olhava para a menina que me convidou, e ela nem aí pra mim. Até que eu me ofereci pra fazer alguma coisa na brincadeira, e as quatro me olharam. — As lágrimas começaram a brotar em Paula. — Então, deram uma risada forçada, "há-há-há-há". Essa menina disse para as outras: "Trouxa, achou que a gente ia brincar com ela!". Daí me chamaram de várias coisas: branquela, ridícula...

— E, entrando na pele dessa menina de nove anos, o que você pensa sobre si mesma quando se lembra disso?

— Que eu sou uma trouxa mesmo... e que sou um lixo.

Amanda começou a ressoar aqueles sentimentos. Conhecia bem o peso de uma traição.

— E o que você gostaria de pensar sobre si mesma?

Paula demorou um pouco e respondeu, hesitante:

— Que eu tenho valor.

— Quanto você acredita nessa frase agora, lembrando-se disso, de zero a cem por cento?

— Dez por cento, se tanto.

— Você ainda sente isso como um ódio na cabeça?

— Sim, e agora na garganta também.

— E quanto isso a perturba, de zero a dez?

— Dez.

— Agora olhe para a ponta dos meus dedos enquanto eu os mexo, e vamos ver o que acontece.

Mike fazia um movimento rápido com os dedos na horizontal, e ela seguia vidrada. Depois de vários segundos, ele parou e perguntou:

— O que está acontecendo?

— Está passando essa história toda na minha cabeça. Eu me vi chorando e correndo para o banheiro da escola. Estou me vendo escondida lá.

— Vamos continuar — disse Mike, voltando a balançar os dedos em frente aos olhos de Paula.

Amanda teve que concordar com o professor holandês que aquilo era bizarro. Só que, em pouco tempo, percebeu que Paula havia parado de chorar e dava suspiros muito profundos. Depois de alguns minutos, Mike fez uma pausa e perguntou novamente o que estava acontecendo. Paula respondeu:

— Eu me vi me olhando no espelho, e algo mudou. Estranho... Parei de me criticar, de me achar uma tola ridícula. Isso não aconteceu, na verdade, mas foi o que apareceu na minha mente. Eu estava voltando para encontrar as meninas quando você parou.

— Vamos continuar, então! — E recomeçou com a mão pra lá e pra cá.

Paula se endireitou e colocou as mãos no braço da cadeira. Quase se ergueu. Olhava firme para a mão de Mike. Por um segundo, Amanda temeu que Paula avançasse contra ele. Ficou assim por alguns minutos, até que ela lentamente relaxou.

— O que aconteceu aí dentro? — perguntou Mike, aliviado ao descansar o braço.

— Eu voltei lá e dei uns bons tapas nelas! — Todos riram. — Parecia que eu estava possuída. Falei tudo o que tinha que falar.

Que elas eram sacanas, mimadas e iam apanhar para aprender a não fazer mais isso com ninguém.

— Interessante, Paula. Agora, entrando na cena original em que elas debocharam de você, quanto incomoda essa memória, de zero a dez?

— Dois, mas é engraçado, mal consigo enxergar essa cena. Está bem apagada.

— Isso é resultado da técnica e é um bom sinal. E quando você pensa na situação da festa quando era adolescente?

— Isso ainda incomoda.

— Então, vamos seguir.

Mike ficou mais uns dez minutos estimulando os olhos de Paula. Os suspiros continuaram a surgir a cada dois ou três minutos. Amanda estava curiosa para saber o que se passava na cabeça dela. Mike parou e pediu que ela descrevesse.

— Nossa, vieram essa história e muitas outras. Acho que eu fiquei traumatizada com aquela primeira situação aos nove anos, e isso atrapalhou tudo dali para a frente. Eu me tornei arredia com algumas meninas e tinha meus amigos, os meninos. Lembrei que meus dois melhores amigos não foram à festa em solidariedade a mim. Na verdade, ficamos vendo filme na casa de um deles. Mas vieram várias cenas rápidas de outros momentos. Uma delas foi a minha mãe me dizendo pra confiar mais nos livros e menos nas pessoas. Que coisa... Ela não sabia me ler, eu não conseguia conversar com ela sobre o que acontecia comigo.

— E agora, quanto a incomoda a situação da festa, de zero a dez?

Paula demorou um pouco para responder, e Amanda não conseguiu decifrar sua expressão.

— Pode ser um?

— Pode. E, quando se lembra dessas situações da escola, quanto você acredita na frase "eu tenho valor" agora, de zero a cem por cento?

Paula começou a rir e disse:

— Pelo menos oitenta por cento!

— Então, fique com essa frase positiva na sua mente e deixe ela se aprofundar — disse ele, movendo devagar a mão, que Paula acompanhou com os olhos —, sentindo isso no seu corpo, deixando tomar conta dos seus sentimentos.

Amanda viu o rosto de Paula se iluminar. Parecia que algo começava a ficar mais leve no seu próprio peito também. Alguns segundos depois, Mike parou e perguntou quanto, em porcentagem, ela acreditava naquela frase. Ela deu um suspiro longo e disse:

— Uau... Cem por cento. Muito obrigada, Mike — disse Paula, com as mãos em forma de oração.

Mike estendeu as mãos e segurou as dela por alguns segundos. Amanda ainda estava um pouco incrédula, mas tocada com a possibilidade de voltar a sentir seu próprio valor e confiar em si.

— Nós que agradecemos por compartilhar essas situações da sua vida. Todos ganhamos com isso. Essa parte da escola parece resolvida. No entanto, para finalizar, quero propor algo diferente e quero saber se você concorda.

— O que é? — Paula quis saber.

— Você terá que confiar e precisará se levantar. Posso fazer?

— Está bem... — disse ela, olhando-o de lado ao ficar de pé.

Nesse instante, Mike encarou o grupo e disse:

— Mulheres, por favor, é hora de abraçá-la! — comandou ele, gesticulando com os braços.

Paula levou as mãos à boca, e Amanda, Tânia e Carol a envolveram em um abraço apertado. Nenhuma delas conseguiu conter o choro dessa vez. Ficaram assim até Mike avisar que era hora do café.

Ainda abraçada de lado com Paula, Amanda comentou:

— Essa nos pegou de surpresa...

— Incrível — disse Paula —, me arrebatou. Parece que estou drogada!

Mike se aproximou com um café na mão, e Amanda não resistiu em perguntar:

— Esse abraço não faz parte de técnica, faz?

— Eu diria que é uma variação pessoal ao estilo brasileiro — respondeu ele, sorrindo. — A ideia é passar por uma experiência contrária à exclusão que aquelas meninas fizeram com ela.

Paula sorriu, concordando com a cabeça.

Depois de dez minutos, voltaram a se sentar. Mike perguntou se alguém queria comentar algo.

Paula quis falar.

— Eu fiquei mais segura em relação a essa técnica a partir do que ouvi no vídeo e da informação que você passou de que já existem vinte e cinco estudos comprovando que ela funciona. Mas é incrível como isso não dá nenhuma ideia de como é passar por essa experiência. — Mike e Alberto balançaram a cabeça, concordando. — Sinceramente, bastaria uma sessão como essa pra me convencer de que é algo bem profundo e poderoso mesmo.

— Muito bem observado — disse Mike.

— Então, podemos concluir que a ciência e a experiência não se opõem, mas se complementam — disse Alberto.

— Você fala pouco, mas fala bem, hein, Alberto? — disse Mike.

— Mas isso vai durar? — perguntou Carol.

— Vai — disse Mike, com tranquilidade. — Você lembra o que o Kolk falou sobre o estudo, que as pessoas continuaram melhorando mesmo depois de encerrado o tratamento? É claro que o ideal é fazer uma limpeza geral dos registros negativos. Trabalhamos duas situações-chave no caso da Paula. Talvez ainda haja mais algumas, e certamente há outras questões da vida dela a ser trabalhadas.

— Por que tão poucos psicólogos praticam essas técnicas? — questionou Amanda.

— Primeiro porque a maioria não sabe que elas existem. Segundo, quando sabem, eles não acreditam que funcionam. Como ouvimos no vídeo, elas são um pouco bizarras mesmo. Outros nem pensam em misturar qualquer coisa que não seja da linha a que se dedicaram por tantos anos. Precisamos levar em conta que todas as linhas de tratamento tentam se estabelecer como a melhor. As menos incomuns e baseadas na fala levam vantagem na conquista de novos adeptos. Há outras razões também.

— Quais? — insistiu Amanda.

— Bem, vamos lá. Acho que alguns têm receio de perder os pacientes ao usar algo tão curativo.

— Mas esses pacientes fariam propaganda do terapeuta! — revoltou-se Amanda.

— Isso é óbvio pra você e é o que acontece de fato, mas o medo não é algo racional... O terapeuta que usa esse tipo de estratégia é, na verdade, um facilitador que estimula o processo de cura da pessoa. Isso tira o poder absoluto dele. Lembrem que alguns psicanalistas passam a ideia de que conhecem os labirintos da mente e que, sem uma longa terapia, você nunca vai saber as causas dos seus problemas.

— Isso é patético! — disse Paula.

— Isso é humano — respondeu Mike. — Eu também passei por esses conflitos, mas felizmente tive a sorte de encontrar alguns mestres em quem me espelhar e, com isso, me tornei adepto do que chamo de *eísmo*.

— *Eísmo?* — perguntou Paula.

— É uma palavra que inventei. Existem os *ouístas* e os *eístas*. Os *eístas* estão abertos a novidades e avanços. Além disso, só tiram uma conclusão sobre algo depois de estudar ou experimentar aquilo. O melhor é estudar *e* experimentar *e* falar com os especialistas da área. Se achar que tem algum valor, aí pode se aprofundar. Os *ouístas* fazem uma coisa *ou* outra, são puristas, por assim dizer. Tentam enquadrar as pessoas na sua técnica em vez de buscar a melhor opção para cada uma. Não fazem isso por mal, fazem querendo o bem do paciente.

— Você usa essa terapia cognitiva? — provocou Fernando.

— Algumas vezes, sim. Beck fez um trabalho brilhante em desvendar as armadilhas do pensamento e em desarmá-las. Não uso tanto porque levo em conta as limitações dessa abordagem, pelo que vimos sobre o cérebro e a hierarquia da mente.

— De quantas sessões você acha que eu precisaria? — perguntou Paula.

— Isso depende do quanto você está disposta a se conhecer. Em geral, as primeiras três ou quatro sessões de processamento são muito transformadoras. Os problemas mais óbvios diminuem bastante. É isso que vocês vão fazer aqui no seminário. Podemos continuar e desvendar camadas ainda mais profundas para nos desprendermos de padrões que não são mais úteis para nós e descobrirmos, afinal, quem realmente somos. É muito enriquecedor. Desde que conheci a Experiência Somática, em 1987, eu devo ter feito umas duzentas sessões com diversos terapeutas e técnicas de processamento. E mais umas cem com os áudios que passei pra vocês.

Amanda fez as contas: dava uma média de dez sessões por ano. Não era tanto assim.

— Como vamos ter acesso aos áudios, se você vai pegar os aparelhos de volta? — perguntou Fernando.

— Eles estão no Cíngulo, que é um aplicativo ótimo de autoconhecimento. Aliás, tem alguma coisa que vocês queiram comentar do texto de ontem?

— Eu fiquei com uma dúvida: qual é o problema em ter autoestima alta? — perguntou Tânia.

— A questão é se a pessoa procura ser mais do que os outros, especial, acima da média. Essa busca, por si só, revela uma dificuldade em simplesmente ser do jeito que se é, abraçando a imperfeição da sua humanidade.

— Mas algumas pessoas são melhores do que outras! — disse Fernando.

— Com a cultura ocidental competitiva, isso é bem real, você tem razão. Somos comparados, estratificados, selecionados, premiados ou rebaixados desde que nascemos, na nossa família, na escola, na sociedade em geral. Isso tem um lado bom: gera conquistas para a sociedade. Somos condicionados a vida inteira, e é difícil escapar de referências externas. Ao mesmo tempo, isso também tem um lado nocivo pra quem não se enquadra nesse jogo e fica aquém das expectativas. Afeta inclusive as pessoas de performance extraordinária, como grandes esportistas, que podem ficar marcados pela vida inteira por um só erro.

— Ainda assim, algumas pessoas são especiais, mais talentosas, têm mais sucesso — insistiu Fernando.

— Ser especial não garante boa autoestima.

— Mas fica mais fácil!

— Eu volto à questão central — disse Mike. — Autoestima é a forma como eu me relaciono comigo mesmo. O que faz muita diferença é se sentir especial para *alguém*, de preferência a nossa mãe, quando somos crianças.

— Isso é papo de psicólogo, que tudo é pai e mãe.

— Eu respeito sua opinião, Fernando — disse Mike calmamente olhando para ele. Virando-se para os outros, ele perguntou: — Algum outro comentário sobre o texto?

— Eu acho que avancei por estar no modo de autoconhecimento, mas no autorrespeito me vi em muitas descrições. Não sei se vou conseguir mudar esse padrão tão cedo... — confessou Amanda.

— Essa é uma mudança que costuma ser gradual, porém precisamos saber primeiro pra onde ir. A velocidade da mudança é menos importante do que saber que, pra uma autoestima boa, eu preciso deixar de tentar agradar aos outros pra me sentir importante. Evita-se, assim, a tão temida solidão, que costuma acompanhar a dor de rejeições e abandonos.

— O caminho, então, é encarar a possível solidão ao ser autêntico? — perguntou Amanda.

— De certo modo, sim. É um ato de coragem. A autenticidade é outra faceta da autoestima, lembra?

— Sim, você falou que elas interagem entre si, algo assim.

— Isso mesmo. Somos seres sociais e afetivos por natureza. Tentamos evitar a solidão a todo custo, a ponto de negarmos nossa autenticidade em busca de aceitação. Pelo menos é assim que pensamos, ou melhor, agimos de modo automático de acordo com nossa biologia e os condicionamentos que recebemos desde cedo. O dilema é: como saber se somos amados do jeito que realmente somos se usamos uma máscara o tempo todo? Como saber quem são nossos amigos de verdade?

— Precisamos adotar uma máscara social, certo? — disse Alberto.

— Sim, sim. Estamos imersos em uma cultura que define o que é certo e errado. O problema é quando achamos que *somos* essa máscara, de tanto que a usamos. Precisamos seguir alguns códigos pra nos adaptarmos e evitarmos sofrimentos desnecessários.

— Você está fazendo isso nesse momento? — cutucou mais uma vez Fernando.

— Com certeza. Todos estamos, em algum grau. Estamos vestidos, não estamos?

— O que você quer dizer com isso?

— Ora, que na nossa cultura há um código de conduta que nos instrui a cobrir o corpo, principalmente os genitais. É a máscara do corpo. Algumas culturas não dão bola pra isso, mas podem achar errado não ter o corpo pintado ou não usar um adereço.

— Os gregos ficavam nus sem problema — disse Paula, calmamente. — As esculturas gregas são todas de figuras nuas.

— Devia ser uma maravilha — falou mais uma vez Fernando.

— Talvez, mas isso mudou bastante. Bem, a conversa está boa, mas vamos fazer o seguinte: vou dar mais um texto pra vocês lerem agora no fim da manhã. À noite, não vou passar nenhum material, porque hoje vamos ao pub. Ao meio-dia e meia almoçamos e reiniciamos à uma e meia, pode ser?

Paula aparentava estar mais leve do que o habitual. Ao se levantar, tocou na mão de Amanda, convidando-a para irem para o mesmo canto de ontem. Pegaram o material com Mike e saíram.

Quando se sentaram em suas poltronas, Amanda puxou assunto.

— Me conta melhor como foi o processamento.

— Ah, não dá pra explicar direito. As imagens simplesmente apareciam em flashes na minha mente. Vinha uma emoção, daqui a pouco mudava, vinha outra, daí a cena seguia adiante. Agora, falando nisso, estou me dando conta de que isso tudo aconteceu com poucas palavras e sem usar o pensamento. A gente sente as emoções, e esse filmezinho fica rodando na mente.

— E o corpo?

— No começo, senti com força o que me incomodava, depois foi aliviando. Na parte final, nossa, foi muito gostoso, parecia que meu peito tinha se expandido. Tirei um peso de mim. E depois veio o abraço coletivo... É estranho, estou me sentindo bem, mas cansada. É muita coisa em pouco tempo.

— Estou louca pra experimentar — confessou Amanda.

— Vale a pena — disse Paula, tirando o material do envelope. — Estou curiosa pra ver o que ele nos passou.

Autoaceitação e autoempatia

A autoaceitação não se encontra no elogio alheio, nos bens materiais, nos feitos, na popularidade nem nas cirurgias plásticas. Certamente tudo isso pode fazer com que nos sintamos melhor, mas não substitui o trabalho interno de olhar para nossas limitações. A grande vantagem de aceitarmos a nós mesmos é a paz interna que dispensa posição social, carro, casa, cargo, estado civil, número de amigos nas redes sociais e aprovação alheia.

É na hora de investigar nossas falhas que mais tendemos a negar, fugir, distorcer ou "dourar a pílula". Podemos também nos martirizar em comparações com outras pessoas. A maioria de nós já fez muito isso. Escolhemos o ponto forte de alguém que conhecemos e nos colocamos na parede. É um belo método de tortura. Também podemos escolher seus pontos fracos para ficar por cima, praticando o autoengano para inflar o ego, até nos darmos conta de que a comparação com alguém é uma armadilha do pensamento com pouca validade. Por acaso alguém escolheu ser do jeito que é? Temos centenas de características. Na maioria delas, por definição, estamos na média. Em algumas, somos particularmente bons; em outras, particularmente ruins. A arte está em aproveitar nossa natureza da melhor maneira e, se quisermos nos comparar com alguém, que seja com nós mesmos um tempo atrás, para saber se evoluímos. Essa é a única comparação válida. Mesmo sabendo disso, volta e meia a mente cai no padrão de se comparar com os outros. O sinal de alerta para esse fenômeno é o sentimento de inveja, que é tão corrosivo. Ela serve para nos estimular a evoluir. Para deixar de senti-la, precisamos ir atrás dos nossos sonhos e investir na autoempatia e na autoaceitação. Só assim deixamos os outros de lado para focar mais em nós.

Quando falta autoaceitação, buscamos o reforço externo de aprovação. Aqui entram a namorada que pergunta incessantemente se está bonita e o homem que faz de tudo para ganhar um elogio, seja nas relações de afeto, seja no trabalho. "Se os outros me aceitarem, então tudo bem!" Se elogiarem, maravilha. São algumas horas de êxtase até que os buracos da autoestima apareçam novamente e cobrem reforço. É o legítimo saco sem fundo que só vai melhorar se for feito o trabalho interno de olhar para as limitações reais e imaginárias. Essa tomada de consciência é essencial para diminuir a necessidade de aprovação.

Ao contrário do senso comum, aceitar nossas limitações não leva à acomodação. Na verdade, aceitar requer encarar nossos defeitos de frente. Alguns deles não temos como mudar de modo objetivo. Precisamos aprender a conviver com eles e nos render à realidade para ganhar em consciência. Outros defeitos temos a possibilidade de mudar, mas não há como fazer isso sem antes reconhecê-los do modo como estão em nós. Não precisamos nos penitenciar ao fazer isso. Muitas vezes nem percebemos o peso e a dor que podemos causar a nós mesmos. Podemos até achar que dar poder ao "eu crítico" é importante para nos fazer crescer, senão nunca iríamos nos livrar das imperfeições que nos envergonham.

O que o "eu crítico" faz muito bem é nos encher de mais culpa e reprovação. Ele é o protagonista do modo de autodestruição. O problema é que um "eu crítico" implacável produz o estresse da agressividade do agressor e, como o alvo somos nós mesmos, sentimos também a dor do agredido. Quem sofre é o organismo por inteiro, porque as regiões do cérebro ligadas a "luta ou fuga" são acionadas e os hormônios de estresse são liberados. No caso do autoflagelo psicológico, estamos em "luta e fuga" ao mesmo tempo, uma espécie de autoabuso emocional. Existe, porém, outro caminho: encontrar a sintonia interna para nos lapidarmos por meio do autoconhecimento e da vontade de evoluir, que é da essência do ser humano.

Pode parecer estranho, mas também é preciso que aceitemos nossas qualidades sem falsa modéstia. Vejam, por exemplo, a história de Isabela, uma menina que chamava atenção pela beleza, pelo sorriso cativante e pela inteligência.

Ela adorava estudar e era sempre uma das primeiras da turma. É natural achar que esses seriam predicados para que uma menina se sentisse segura. No entanto, o pai, crítico e ciumento, não reconhecia os valores da filha. A mãe, ansiosa, estava mais preocupada com a saúde física da filha do que com seu bem-estar emocional. Na escola, Isabela tinha somente uma amiga que, não por acaso, era de outro país e ainda tinha um pouco de sotaque. As demais meninas, provavelmente com ciúmes de sua beleza e seu desempenho, a excluíam das brincadeiras ou faziam bullying durante as aulas de educação física, a única disciplina em que ela não se saía bem. Essas influências marcaram negativamente sua autoestima e eram evidentes no sorriso apertado e na timidez em ambientes novos, principalmente em festas. Espantava-se quando algum rapaz dava em cima dela, e imediatamente começava a se desculpar por seus defeitos. Por mais que pessoas de seu novo convívio reafirmassem seu valor, ela logo invalidava os elogios, achando que estavam somente querendo agradar-lhe. Como se pode ver, algumas qualidades inatas podem vir com um peso grande e reações negativas do ambiente, que são absorvidas na forma de um "eu crítico" severo. Nesses casos, a autoaceitação precisa ficar de braços dados com o automerecimento.

A falta de autoaceitação também está por trás da sensibilidade a críticas e da rejeição. As pessoas mais sensíveis se abalam mesmo com críticas suaves e construtivas, com estímulos neutros (interpretados como negativos) ou até na ausência de um estímulo esperado, como ao contar com um elogio que não acontece. A foto postada teve poucas curtidas, o namorado não notou o novo corte no cabelo e, por sua vez, não gostou nada do elogio da namorada ao ator do filme lançado na semana. O fenômeno da hipersensibilidade emocional pode ser comparado a uma inflamação, que torna a região do corpo afetada mais suscetível à dor; por exemplo, um leve toque pode ser sentido como doloroso na área inchada por uma contusão. Se essa parte do corpo estivesse saudável, resistiria sem dor alguma a batidas mais fortes. Essa parte sensível, com certeza, não foi aceita, liberada e integrada.

Há dois caminhos muito ricos para nos aceitarmos mais. O primeiro e mais eficaz, em minha experiência pessoal e clínica, é o processamento das memórias que nos machucaram emocionalmente. O segundo é desenvolver autoempatia, ou autocompaixão, que é a capacidade de perceber o próprio sofrimento e de acolher a si mesmo como se estivéssemos acolhendo alguém amado.

Um ótimo efeito colateral desse processo é nos sentirmos profundamente humanos, com falhas e virtudes, o que leva à abertura do coração e ao aumento da tolerância com os outros. Ao conhecermos nossas fragilidades sem brigar com elas, desenvolvemos mais empatia com as fragilidades alheias. Entramos em contato com nossa humanidade imperfeita, que é compartilhada por todos nós.

Mike

Quando Amanda baixou a folha e viu que Paula também tinha terminado sua leitura, resolveu comentar:

— Autoaceitação e autocompaixão não são fáceis.

Quando Paula ia responder, Mike passou pela salinha onde estavam e sinalizou que a comida estava servida. As duas foram atrás dele.

— Creme de ervilha e creme de cebola. E *croutons* quentinhos.

Amanda gostava da relação de Mike com a comida. *Ele não poupa nos processamentos e nos momentos de dizer algumas verdades, mas é puro carinho quando vai alimentar seus "filhotinhos"*, pensou ela. Ele desligava o modo de terapeuta ou facilitador, embora desse para perceber que era autêntico nos dois contextos.

O almoço transcorreu bem, afora os eventuais pseudodramas da vida sem internet e aparelhos. Carol e Tânia eram as que mais perguntavam para Mike se havia alguma mensagem para elas. Ele dizia um "nada" tranquilo e voltava a degustar a comida. Antes do café, lembrou a todos que o almoço seria leve porque à noite iriam a um pub que servia comidas deliciosas, mas gordurosas. Assim que deu uma e meia, ele encaminhou todos de volta à sala do seminário.

— Agora nós vamos conhecer o trabalho de um grande psicólogo britânico: John Bowlby. Já ouviram falar dele?

Todos fizeram que não com a cabeça. Mike prosseguiu:

— O trabalho dele tornou-se muito influente em meados do século XX, logo depois da Segunda Guerra Mundial. Era um momento em que ainda se considerava que proximidade e afetividade mimavam as crianças. Ele era de uma família abastada e foi criado por babás. Duas situações de maior sofrimento marcaram sua infância: quando a babá o deixou, aos quatro anos, e quando foi mandado para um colégio interno, aos sete. Alguém já suspeita o que estudou mais tarde?

Alberto palpitou:

— A relação entre mãe e filhos?

— Bingo! — brincou Mike. — Pode parecer óbvio para nós hoje, mas os principais achados dele na época deram o que falar. Ele defendeu que bebês deveriam ter uma relação contínua de intimidade e afeto com a mãe, de modo que gerasse alegria e satisfação a ambos. Não acontecendo isso, poderia haver consequências sérias para a saúde mental da criança — Mike terminou de falar e fez uma pausa olhando para cada um deles. — Na época, as crianças hospitalizadas quase não tinham contato com a mãe. Foi por causa do trabalho dele que os hospitais mudaram essa regra, e as crianças começaram a se recuperar mais rápido ao ter a mãe próxima.

— Quando eu fiz faculdade, isso era bem enfatizado na pediatria — disse Amanda.

— Ele desenvolveu o que chamou de Teoria do Apego e propôs que o apego do bebê se dá principalmente entre os seis meses e os dois anos de idade. A mãe desempenharia um papel de base segura pra ele explorar o ambiente. Levem em consideração que, nos primeiros meses de vida, o bebê sente que ele e a mãe são um só, é uma fusão. Com o decorrer dos meses, ele passa a se perceber como indivíduo, reconhece seu corpo, seu nome... Toda essa mudança se dá na sua própria relação com a mãe. Quando a figura de referência é deficiente, a criança desenvolve um tipo de apego inseguro. O grude com a mãe nessa idade seria fundamental para a criança não se afastar dela e correr riscos, como o de ser alvo de predadores.

— Isso parece óbvio — disse Fernando.

— Mas não era. Na época, a teoria vigente era de que os problemas das crianças vinham das suas fantasias com a mãe. Vocês já ouviram falar de Melanie Klein? — Quase todos disseram que sim. — Ela era supervisora de Bowlby, e o diferencial dele era ir a campo, observar as crianças atuando em vários contextos. Ele foi um dos primeiros a se dar conta de que a maioria dos meninos com história de delinquência e frieza emocional tinha passado por separações longas e precoces da mãe e de cuidadores. Assim, percebeu o papel vital da relação entre mãe e bebê, das trocas que ocorrem, e desconsiderou o papel das fantasias infantis nessa idade. Por manter essa posição e discordar de Melanie Klein, ele foi rechaçado pela comunidade psicanalítica. Em resumo, o que ele quis dizer é que a presença de uma mãe amorosa era uma necessidade vital nos primeiros anos da criança.

Carol sacudiu um livro com a mão e falou:

— Nem acredito! Acabei de ler isso no livro do Harry Potter. Li todos na adolescência e comprei o primeiro da coleção no aeroporto em Londres pra treinar o inglês. Deixe eu ver, aqui está. Posso ler? — Mike acenou com a cabeça, concordando. — Dumbledore fala para Harry, vou tentar traduzir: "Sua mãe morreu para salvá-lo. Se tem uma coisa que Voldemort não consegue entender é o amor. Ele não sabia que um amor tão poderoso como o da sua mãe deixa marcas. Não uma cicatriz, não um sinal visível... Ter sido amado tão profundamente, mesmo que a pessoa que nos amou já tenha partido, nos dá alguma proteção para sempre." — Quando terminou, Carol olhou para Mike.

— Sábias palavras. O Bowlby teria ficado contente em saber que milhões de pessoas leram isso. Quem é Dumbledore?

— É o mestre maior de Hogwarts, a escola de magia.

— E com que idade a mãe dele morreu? — Mike quis saber.

— Quando Harry tinha um ano.

— Já é uma boa proteção. Se a autora tivesse seguido o que Bowlby descobriu, seria mais proteção ainda se fosse até os dois anos.

— Mas a mãe dele era de uma família de magos! — Carol tentou defender.

— Ah, nesse caso, um ano deve ser suficiente! — disse Mike, piscando o olho para ela. — Gostei do Dumbledore — falou e, virando-se para todos, subiu o tom de voz. — Nós vamos ver agora três vídeos de três crianças diferentes com as mães no tipo de experimento que a colaboradora de Bowlby, Mary Ainsworth, chamou de "Situação Estranha". A criança de um ano de idade vai com a mãe para uma sala com vários objetos, e os pesquisadores conseguem enxergar o que acontece na sala, mas por dentro é um espelho. Em certo momento, a mãe sai do ambiente e fica três minutos do lado de fora, com os pesquisadores.

Amanda sentiu um aperto no peito assistindo ao vídeo quando a mãe saiu e a criança se pôs a chorar desesperadamente. Mike continuou.

— Praticamente todas as crianças abrem o berreiro. Afinal, estão sozinhas em um lugar desconhecido. O ponto crucial é como elas reagem quando a mãe volta. Vejam.

Na primeira cena, assim que a mãe retornou, a menininha se acalmou em alguns segundos e voltou a explorar o ambiente.

— Esse é o apego seguro, um comportamento saudável.

No segundo vídeo, quando a mãe voltou e segurou o filho, ele se fechou, deixou de interagir com ela.

— Esse é o apego inseguro do tipo evitativo. A criança fica triste e não se engaja rapidamente na relação com a mãe.

Na terceira cena, a mãe retorna à sala e tenta confortar seu filho, mas este não para de chorar. Quando a mãe oferece um brinquedo para distraí-lo, ele atira o brinquedo no chão.

— Esse é o apego inseguro do tipo ansioso ou ambivalente. A criança está com a mãe, prefere a presença dela, não a rejeita, mas continua reclamando, está brava e incomodada. — Mike tirou o vídeo e pediu para que todos lessem a seguinte tela:

Tipos de apego no adulto

- *Seguro — A pessoa está disponível para o parceiro, é capaz de confiar e não mistura seus problemas com os da outra pessoa.*
- *Evitativo — A pessoa é esquiva, desconfiada, gostaria de se conectar, mas acha isso muito arriscado.*
- *Ansioso — A pessoa fica grudada e é controladora, interpreta negativamente qualquer coisa em relação a si mesma. Isso pode acontecer, por exemplo, quando o parceiro não elogia ou não reconhece algo que a pessoa fez, e a interpretação é de que não a ama mais ou não a ama o suficiente.*

Quando viu que todos terminaram de ler, Mike pediu que cada um pensasse qual era seu estilo de apego predominante.

Amanda não demorou a se encaixar no tipo ansioso. Lembrou-se de vários momentos em que esperava a reação de Carlos quando ela se arrumava ou preparava algo especial. Na grande maioria das vezes, ele fazia um elogio ou pelo menos notava o que ela havia feito, mas bastava um deslize para ela ficar chateada e reativa.

Mike terminou a exposição com algumas frases simples, que ela sentiu como um golpe no estômago.

— Existe uma dinâmica interessante em algumas famílias. Quanto mais inseguro é o apego, mais a criança se volta para coisas materiais, como brinquedos e comida. Quanto mais ela faz isso, menos demanda dos pais, que, por sua vez, dão mais e mais brinquedos e comida e, assim, precisam dar menos atenção.

A imagem dela sozinha em seu quarto cheio de quinquilharias se instalou em sua mente. Enquanto olhava para as próprias mãos, fingindo tirar uma cutícula, sentiu um nó na garganta. Quando Mike sugeriu um pequeno intervalo para tomarem chá antes da nova sessão, ela foi a primeira se levantar.

O chá quente e adocicado ajudou um pouco a serenar seu corpo, mas a chuva fina que via pela janela não convidava a nenhuma emoção agradável. Amanda praticamente não interagiu. Estava pronta para se candidatar a fazer o processamento e começar a resolver aquelas marcas todas. Afinal, já era o terceiro dia de seminário. Estava aprendendo bastante, ficou surpresa com sua resposta ao fazer a proposta do áudio; no entanto, ainda sentia em seu peito o mesmo cimento que a acompanhara naqueles longos meses.

Logo depois de arrumar duas cadeiras no centro da sala, Mike os convidou a assistir a um vídeo de Peter Levine, no qual ele explica o que acontece quando uma pessoa fica traumatizada e como a terapia criada por ele restabelecia a saúde. Mostrou uma mola que ficava toda comprimida com um trauma. Depois, com a terapia, lentamente ia se descomprimindo e recobrava a elasticidade normal.

— Ele pra mim ainda é o grande mestre — revelou Mike, olhando para Carol, que pareceu entender a cumplicidade. — Além de ter um vasto conhecimento, é um sábio. E, como eu disse, adora o Brasil. Vejam esse livro aqui. — Mike apontou no vídeo um livro na estante com *Brazil* no título.

— Parece simples demais para funcionar. Que mola é essa? — Fernando quis saber.

— Essa mola é uma metáfora. Uma memória que ficou presa, truncada, é a mola comprimida — disse Mike para Fernando, que estava com a sobrancelha arqueada. — Mas a melhor maneira de conhecer a mola é experimentar.

Mike fez um gesto de cabeça convidando Fernando ocupar o assento.

Puta que o pariu, pensou Amanda. Aquele desgraçado do Fernando pegou seu lugar.

— Muito bem, Fernando, o que você quer trabalhar?

— Você me pegou de surpresa, mas acho que aquela história do futebol não ficou resolvida pra mim.

— Então vamos investigar melhor essa questão. Vamos buscar na memória o momento em que o futebol começou a ser um problema.

— Foi naquele maldito jogo em que errei um gol feito.

— Ok. Se quiser, feche os olhos pra entrar em contato com essa situação, como se estivesse acontecendo neste momento.

Fernando fechou os olhos e ficou alguns segundos em silêncio. Mike continuou com a voz mais branda.

— Perceba as sensações que vão surgindo no seu corpo.

— Tenho vontade de me encolher, vem um peso nos ombros.

— Certo. Agora procure atender ao que seu corpo está pedindo e deixe isso acontecer naturalmente, com consciência do movimento que vier.

Fernando começou a se curvar para a frente em câmera lenta. Amanda achou estranho aquele homem pretensioso fazer tal movimento, ainda mais na frente de todos. Ele levou quase um minuto até ficar com o tronco e os braços apoiados em suas pernas, as mãos cobrindo o rosto.

— Acompanhe esse peso nos ombros, dê espaço para os sentimentos e deixe as cenas dessa história rodarem na sua mente.

Mike esperava pacientemente, sem tirar os olhos de Fernando.

— Eu falhei... Eu sou um merda — disse Fernando, baixinho.

Mike levou quase um minuto para intervir de novo.

— Vamos ver o que mais surge aí dentro.

— No jogo seguinte, eu tive dificuldade de olhar para meus companheiros de equipe. Na hora do pênalti, senti a pressão e tive medo de falhar de novo.

— Perceba isso no seu corpo.

— Minhas pernas estão tensas.

— Ok. Observe e deixe acontecer.

A leve vibração nas pernas de Fernando aos poucos foi se transformando em um tremor intenso.

— Está indo muito bem, Fernando, é só a consciência do seu corpo fazendo o que precisa ser feito — disse Mike, com tranquilidade.

As pernas de Fernando chacoalharam por alguns minutos. Aos poucos, os movimentos diminuíram e, ao cessarem, ele respirou profundamente. *É tudo muito estranho*, pensou Amanda.

— O que surgiu aí dentro, Fernando? Alguma memória, alguma emoção?

— Eu tive muita raiva de mim. Parecia que minhas pernas estavam pegando fogo, mas agora a sensação diminuiu bastante.

Sua boca se curvou para baixo.

— Eu decepcionei meu pai.

— Então, olhe pra ele e vamos ver o que acontece.

— Ele está balançando a cabeça, me reprovando em silêncio.

— E como está seu corpo agora?

— Um buraco no peito.

— Acompanhe essa sensação e essa história dentro de você.

Alguns minutos e suspiros depois, Fernando falou:

— Que loucura — disse ele, ainda de olhos fechados. — Eu me vi criança, quando meu pai ia comigo à escolinha de futebol, vibrava comigo nos jogos. Eu entrei cedo... Eu gostava de jogar futebol, mas estou me dando conta de que aquilo tudo era para o meu pai. Na verdade, está ficando claro que tentei realizar o sonho dele, que não podia jogar porque tinha um problema no coração.

— Olhe para o seu pai agora e vamos ver o que acontece — repetiu Mike.

— Eu o vejo me elogiando e me abraçando quando eu ia bem num jogo, dizendo que eu era especial, que tinha faro de gol... Mas ele nem falava comigo direito quando eu não jogava tão bem.

— Imagino que você quisesse muito lhe agradar.

— Eu fazia de tudo pra ele ficar orgulhoso de mim. Acho que algumas vezes joguei mal de tanto que queria isso. Tentava driblar mais do que o necessário ou chutava a gol em vez de passar para o cara que estava livre do meu lado. Ele ficou arrasado quando fiz besteira naqueles jogos.

— E você?

— Fiquei desesperado.

— O desespero costuma ter um medo por trás. Você identifica algum?

Fernando levou alguns segundos para responder e falou baixinho:

— De que meu pai não me amasse mais.

— Acompanhe como isso se manifesta no seu corpo.

Fernando bufava e estava inquieto. Pouco depois, começou a balançar devagar a cabeça para um lado e para outro.

Mike disse:

— Esse movimento é importante. É só deixar acontecer.

Amanda tinha receio de onde aquilo ia dar e começou a sentir dó de Fernando. Sentiu em seus braços a vontade de acolhê-lo, mas não podia nem devia fazer nada. Só o assistia virando a cabeça para a esquerda e para a direita sem parar, com uma expressão de sofrimento.

— Acho que meu pai não me amava de verdade. Eu só me sentia amado quando lhe dava orgulho. Ele estava mais preocupado que eu realizasse o sonho dele do que comigo.

— Deixe isso fluir dentro do corpo e faça o que ele pede... Eu estou aqui com você.

— Sinto uma pressão muito forte na nuca — disse Fernando, mexendo menos a cabeça.

— Observe como é essa pressão.

— É tipo um chumbo, cinza-escuro...

— Acompanhe isso...

Fernando parou de se balançar e ergueu algumas vezes as sobrancelhas, ainda sem abrir os olhos.

— Estranho, ela se moveu para a frente da minha cabeça e agora está no topo. Quando estava na nuca, eu sentia como uma cobrança, da minha parte mesmo, mas agora sinto isso como uma força.

— Então observe como essa força atua no seu corpo.

— Eu estou vendo meu pai de novo na minha frente. Tenho uns treze anos. Estou dizendo pra ele me deixar em paz, pra me deixar jogar por jogar.

— Jogar por jogar...

— Sim, com meus amigos.... Com *meus* amigos, jogando *meu* futebol — Fernando disse com firmeza e, alguns segundos depois, abriu os olhos e riu. — Me vi jogando e me divertindo.

— Como está agora?

— Mais leve... mais tranquilo... e mais forte também.

— E como está seu corpo?

— Parece que tem uma eletricidade por ele todo, por dentro, embaixo da pele, é difícil explicar. Mas é bom de sentir.

— Ótimo, Fernando. Vamos voltar para a cena em que você errou o gol?

— Certo — disse ele, fechando os olhos por alguns segundos. — Olha, está bem mais tranquilo.

— E como você está?

— Eu me vejo saindo do campo e entrando no vestiário. Não estou tão envergonhado. Consigo olhar para os meus companheiros.

— Identifique o que você sente ser necessário para ficar bem. Você é um rapaz de dezenove anos nessa situação — disse Mike, fazendo, logo depois, uma pausa. — O Fernando adulto, que está aqui, vai entrar nessa cena e fazer contato com esse jovem que acabou de sair da partida em que errou o gol... Você está ali para dar e fazer tudo que esse rapaz precisa.

Nesse momento, o queixo de Fernando começou a tremer e duas lágrimas escorreram de seu rosto. Fernando passou a abraçar a si mesmo e a chorar copiosamente. Amanda não se segurou e chorou com ele. Quando estava ficando constrangida, percebeu que todos, inclusive Mike, estavam emocionados. Foram dois minutos que não precisaram de palavras. Quando Fernando relaxou os braços, suspirou fundo e abriu os olhos. Parecia que tinha descido em outro planeta. Encontrou primeiro o olhar acolhedor de Mike. Depois, olhou para cada colega por alguns segundos. Amanda ficou sem graça, porém se sentiu conectada, cheia de empatia para com o que ele passou.

— Isso é muito louco... — disse ele, baixinho. — Eu nunca me senti assim. Estou me sentindo... aceito? Compreendido?

— Amado? — sugeriu Mike, com um leve sorriso.

— Amado... Eu fiquei tão sem chão quando isso aconteceu, mas a mesma situação agora me deu esse presente — disse, olhando para Mike por alguns segundos. — É muito bom poder me mostrar e não ser condenado. É estranho o modo como eu estou falando agora, não é o meu normal.

— Essa fala de agora vem de onde?

— Vem de dentro, de quem eu sou. Se eu parar pra pensar, parece piegas, mas vem da minha essência.

— E a fala normal — perguntou Mike, fazendo as aspas com os dedos. — De onde ela vem?

— Do personagem que eu construí ao longo da vida.

— Pra que você construiu esse personagem?

Fernando fez uma pausa antes de responder.

— Pra me adaptar, cumprir o papel que meu pai esperava de mim, ser tão bom quanto ele queria que eu fosse... E pra me sentir amado por ele.

— E você se sentiu assim?

— Só quando eu acertava.

— Que tipo de amor é esse?

— Como assim? — perguntou ele, perplexo.

— É um amor condicional ou incondicional?

— Ah... condicional — disse ele, baixando a cabeça.

— Ótimo, Fernando. Você entende agora, depois do que passou, a diferença entre ser especial e ser especial pra alguém?

— Sim — disse, voltando a olhar para Mike, que não falou mais nada. — Eu fui arrogante algumas vezes e, por isso, estou constrangido em pedir isso. — Sua voz embargou e olhou novamente para o chão. — Mas, quando vi você abraçar o Alberto, quis muito estar no lugar dele.

Assim que Fernando voltou a chorar, Mike foi em sua direção.

— Você é especial pra mim — falou, abraçando-o como se fosse seu filho.

Amanda sentiu seu peito se encher, e seus olhos marejaram. Por que a coisa mais importante do mundo, que é ser amado, era tão complicada? Logo também descobriu em si uma ponta de ciúmes porque não era ela que estava sendo abraçada.

Mike deu dez minutos de intervalo.

Tomando mais um chá, Amanda resolveu questionar Mike sobre a dificuldade de sentir-se amado.

— Uma das coisas que o Bowlby percebeu foi que os padrões disfuncionais de apego se transmitem de geração para geração. É algo que fica gravado de modo muito profundo em cada um e, como vimos, a maioria das pessoas vive no piloto automático da autoproteção, tentando justificar seus atos em vez de investigar sua história e seus comportamentos para reformular esses padrões.

— Mas deveria haver campanhas pra alertar os pais sobre isso.

— Existem, assim como alguns bons livros e programas de TV sobre educação de filhos. O problema é que os pais precisariam passar por uma *experiência* que os ajudasse de verdade. Não se esqueça de toda a força da mídia, da internet, de eletrônicos, videogames e brinquedos, que fazem de tudo pra ganhar mais dinheiro e fazer pais e filhos se afastarem do seu comportamento natural.

— Talvez o trabalho do Bowlby tenha influenciado a sugestão da Academia Americana de Pediatria de que até os dois anos de idade a criança não deve ter contato com eletrônicos.

— É possível. Eu costumo dizer que as crianças pequenas precisam de quatro letras A: atenção, amor, aceitação e apoio. O processamento do Fernando deixou clara a falta que a aceitação e o apoio fazem. Claro que toda criança precisa de limites, deveres e desafios, o que inclui saber lidar com os eletrônicos. Isolar a criança dos eletrônicos hoje é quase impossível; no entanto, há maneiras de evitar excessos e tornar essa relação produtiva, em vez de passiva e viciante.

— Bom saber, se um dia eu me tornar mãe.

Mike chamou seus pupilos para voltarem. Quando todos se sentaram, ele convidou Fernando a compartilhar sua experiência.

— Eu fiquei pensando agora no intervalo: acho que, se eu tivesse tido a oportunidade de fazer esse processamento com dezenove anos, eu teria continuado a jogar bem. Agora entendo melhor por que muitos jogadores de futebol têm fases boas e ruins. E por que alguns jogadores promissores que surgem não vingam.

— Quantos técnicos e jogadores você conheceu que têm o modo de autoconhecimento mais forte do que o de autoproteção?

— Poucos e, ainda assim, são muito resistentes para contar com alguma ajuda externa. Desconfio que nossos técnicos de vôlei sejam melhores nessa habilidade. Talvez seja por isso que o vôlei brasileiro tem dado tantas conquistas para o país. No futebol é diferente.

— Até hoje eu fui bem-sucedido apenas com dois jogadores de futebol — disse Mike. — Na verdade, só esses dois me procuraram. Um deles era expulso cada vez que o chamavam de filho da puta.

— Então ele era expulso toda hora!

— A cada dois ou três jogos. Bastou uma sessão de processamento pra isso deixar de acontecer. Se você tivesse processado o gol que errou, sua perna também destravaria, voltaria a ser instintiva e natural. O trauma faz com que o jogador queira pensar no movimento antes de fazê-lo, e isso piora o rendimento.

— Foi exatamente isso o que aconteceu — concordou Fernando.

— David Grand, o criador do *Brainspotting*, descobriu o processamento estimulado por um ponto no campo visual quando estava tratando uma patinadora no gelo que não conseguia fazer o giro triplo. Ao processar a situação por trás dessa limitação, ela passou a fazer o giro sem problemas! Enfim, há uma grande oportunidade de aplicação dessas técnicas para atletas de alto nível, assim como para atores entrarem no corpo da personagem. Mas vamos voltar para o seu caso.

— Pois é. Também me dei conta de que parecia que o problema era o gol que eu perdi, mas não era só isso.

— Ótimo... Você nota alguma relação entre o que você vivenciou hoje na sua história de vida e o primeiro dia de seminário, quando pedi pra você fazer a lista das características da autoestima com o pessoal?

Para Amanda, Fernando tinha necessidade de mostrar a Mike seu valor e receber um elogio em troca, mas duvidava de que ele viesse a se dar conta disso.

— Eu fui fominha? Fiquei tão preocupado em fazer o gol, digamos assim, que não vi ninguém.

— E para que isso?

Fernando demorou para responder.

— Para agradar a você? Para ganhar um elogio?

— Como se eu fosse...

— O meu pai — disse ele, encabulado, porém aliviado ao ver Mike confirmando sua resposta com a cabeça.

Amanda ficou surpresa e resolveu deixar seus julgamentos um pouco de lado. Aquele Fernando não era mais tão cheio de si e arrogante como antes.

— Obrigado, Fernando. Agora você tem um tempo livre pra descansar, assim como você, Paula, que fez o processamento hoje de manhã. Às dezoito horas nos encontramos no hall para ir ao pub. E vocês quatro, por favor, fiquem bem de frente para mim.

Quando Fernando e Paula saíram, Tânia sentou-se ao lado de Amanda. Carol e Alberto foram para as poltronas ao lado do sofá.

— Muito bem, agora é com vocês. Nós vamos fazer um processamento em grupo. Eu vou estar aqui todo o tempo, mas quero que vocês peguem o aparelho de MP3 e coloquem os fones de ouvido. Agora, avancem para a faixa "Janelas da Alma".

Amanda seguiu as instruções de Mike; contudo, sentia que seu corpo estava reagindo, como se pressentisse que algo muito forte estava para acontecer.

— Hoje eu gostaria que vocês trabalhassem alguma memória bem significativa, algo que mexeu com sua estrutura. Alberto, no seu caso não é diferente, deve haver outras coisas importantes além do que já trabalhamos.

— Já escolhi. Minha mãe sempre demonstrou preferência pelo meu irmão mais velho, que tem uma personalidade bem parecida com a dela.

— Muito bem. Saibam que vou estar aqui o tempo todo. Com essa situação em mente, é só dar *play* e começar.

Amanda se acomodou e iniciou o áudio. Uma voz começou a explicar sobre o corpo e sua inteligência, que bastava prestar atenção nele e deixá-lo dar conta do resto, sem reagir, somente observando o que acontecia com curiosidade. Depois, a voz pediu que, de olhos abertos, ela se lembrasse de uma situação dolorosa, entrasse em contato com aquilo e percebesse como o corpo respondia. Amanda se enxergou em seu consultório com o celular na mão direita, lendo a mensagem de texto que mudaria sua vida. Carlos, motel, quatro da tarde. Sentiu a mão formigar, a barriga se retorcer e a cabeça latejar. *Que raiva daquele filho da puta*, pensou. O áudio pediu para dar uma nota à intensidade da sensação: era pelo menos nove. Depois, ela devia perceber para onde seu olhar estava direcionado. Amanda estava olhando para baixo e um pouco para a direita. Este era seu ponto de ativação, explicou a voz, que logo em seguida a orientou a observar a parte do corpo que lhe trazia mais conforto e segurança. Ao escanear seu corpo, viu que se sentia melhor com as costas apoiadas no sofá. De acordo com a nova instrução, ela devia prestar atenção ao lugar para onde o olhar tinha ido e, para sua surpresa, ela estava realmente olhando para outro lugar, mais para cima e para a esquerda, por cima do ombro de Mike, que estava sereno em sua frente. Mantendo o olhar nesse ponto chamado de ponto de apoio, ela voltou à cena dolorosa e simplesmente deixou acontecer, prestando atenção nas sensações que surgissem e confiando na sabedoria do corpo. Um som de ondas do mar e gaivotas se alternava suavemente, ora no ouvido esquerdo, ora no direito.

Amanda voltou a seu consultório, suspirou e seu corpo já estava um pouco diferente. Começou a sentir um enrijecimento, como se estivesse congelando. Se tivesse que sair correndo naquele momento, talvez nem conseguisse se mexer. *Confie no seu corpo, Amanda*, pensou ela. Aquele barulhinho do mar parecia deixar tudo mais profundo, mas também mais suportável. Vislumbrou os pacientes que atendeu enquanto estava congelada e lentamente voltou a sentir seu corpo. As duas mãos formigavam, sensação que foi subindo pelo antebraço até o cotovelo. De repente, seu corpo esquentou e ela se viu dirigindo para casa, com as mãos esmagando o volante. Sua garganta pareceu inchar quando lembrou os gritos de "canalha" e "filho da puta" que deu em seu carro por quase meia hora até chegar em casa. Ódio e mágoa, muita mágoa.

Sua mandíbula tensionou quando se lembrou da imagem de Carlos vendo televisão na sala. Nesse momento, percebeu que o som do áudio mudara pra chuva e alguns trovões. Suas mãos ainda formigavam levemente. Sentiu sua perna direita ficar inquieta e se viu dando um chute no pufe da sala enquanto mandava Carlos sair de casa. Não tinha feito isso, mas se deu conta de que era o que queria ter feito. Percebeu pequenas contrações na sua perna. *Confie no seu corpo, observe com curiosidade*, pensou mais uma vez. Sentia algo muito forte pulsando e levou alguns segundos para perceber que Tânia estava chacoalhando toda a seu lado no sofá. Aquilo parece que acionou ainda mais a raiva de Amanda, que deu alguns chutes no ar com a perna direita, como se tivesse que esticá-la totalmente. *Bizarro*, pensou.

Enfim, viu Carlos saindo de casa e deu um suspiro profundo. Seu corpo relaxou bastante em alguns segundos, porém começou a sentir algo no peito. Afundou-se no sofá, que ainda tremia com o movimento de Tânia. Foi tomada por uma tristeza imensa, parecida com a que sentia sempre que Carlos viajava a trabalho. Aliás, aquilo batia muito forte, e estar de plantão era um bom escape. O tempo passava mais rápido e ela sofria menos. Mal escorreram algumas lágrimas. A voz voltou a falar, instruindo-a a prestar atenção no seu corpo e deixar acontecer. Resolveu fechar os olhos. A tristeza aos poucos foi se dissipando para dar lugar a um vazio. Um vazio imenso. Um buraco negro. Não sabia de onde vinha, mas estava alojado em seu peito. A voz, então, pediu que voltasse a olhar o ponto de ativação. Ela abriu os olhos e olhou para baixo e um pouco para a direita. Pensou novamente no celular em sua mão com a mensagem fatídica. Percebeu que estava mais tranquila ao rever aquilo tudo. Não estava mais desesperada. Também não era uma sensação neutra. Um lamento ainda estava lá, e Amanda o sentiu novamente em seu peito. Então veio a instrução para voltar a olhar para o ponto de apoio e assim permanecerpelo tempo que achasse melhor. Uma música suave com um violoncelo começou a tocar e a confortou. Foram alguns minutos de uma espécie de carinho na alma. Seu corpo aos poucos começou a voltar ao normal, dando espaço a um relaxamento e mais um suspiro muito profundo. A impressão era de que seu pulmão havia se expandido, com mais ar do que o normal. O sofá também não tremia mais, felizmente. Ficou por alguns minutos sintonizada consigo mesma, até que a música lentamente desapareceu. Estava em paz.

Olhou para Mike, que se mantinha tranquilo como se estivesse olhando o mar. Reparou que Alberto e Carol estavam de olhos fechados, mas também pareciam serenos. Tânia havia girado o corpo e se deitado parcialmente. Era uma boa ideia, só que não havia mais espaço no sofá. Mike falou bem baixinho.

— Vamos começar a voltar lentamente. Observem seus pés tocando o chão... o corpo apoiado. Podem se espreguiçar, se quiserem.

Era tudo o que ela queria, então se espichou levantando os braços, esticando as pernas e projetando a barriga para a frente.

— Nossa, parece que fui atropelada — disse Tânia, prendendo melhor seu cabelo —, como naqueles desenhos em que, logo depois de ser esmagado por um caminhão, o personagem volta a ficar inteirinho. Saíram cinquenta quilos das minhas costas.

Amanda não poderia ter feito descrição melhor, mas não tinha vontade nenhuma de falar.

— Gente, sei que é bem puxado, mas me parece que vocês estão razoavelmente bem, dentro do possível — disse Mike, observando cada um. — Vocês têm uma hora pra descansar antes de partirmos para o pub. Descansem, tomem um banho, relaxem.

Amanda sentiu seu corpo ainda pesado ao se levantar e uma pequena tontura. Subiu a escada degrau por degrau, atentando em cada passo até chegar a seu quarto. Preparou sua fiel banheira. Havia algo diferente na maneira de sentir o ambiente. Depois de alguns minutos imersa, deu-se conta de que seu pensamento estava devagar, como se tivesse desligado o turbo da neurose. Seu peito já não tinha mais cimento. Parecia estar bem, finalmente. Ficou assim, meditativa, num limbo entre acordada e dormindo.

Despertou de repente, sentindo-se renovada. "Recauchutada" foi a palavra que veio em sua mente, e riu de si mesma. Olhou-se no espelho e se lembrou do fio de cabelo branco, mas não entrou em pânico. Mirou os próprios olhos e recordou o imenso vazio que sentiu à tarde; entretanto, não voltou a senti-lo naquele momento. Agora sabia que estava lá, mesmo sem ter certeza do que era, de onde viera. Deixou de ser algo que não sabia que não sabia para ser algo que sabia que não sabia. Estava na hora de se arrumar. *Let's have some fun!*

Às seis horas, todos estavam no saguão, o que gerou comentários entre eles sobre pontualidade. Mike direcionou todos para a van preta que os esperava na porta. A van tinha um pequeno corredor no meio e seis poltronas estofadas em couro bege junto às janelas. Mike abriu a porta e sinalizou para entrarem. Apresentou John, um motorista gordinho e bem-humorado, com o cabelo escuro lambido, e avisou que levariam uma hora para chegar ao pub em Inverness. Lamentou não haver nada de muito interessante na pequena Dornoch.

Amanda continuava sem vontade de conversar, desfrutando de um bem-estar que não sentia havia muito tempo. Sentou-se no fundo e olhou pela janela tentando não prestar atenção em Tânia contar para Paula o que tinha acontecido em seu processamento. Estava difícil, então resolveu se virar para elas. Paula estava com a palavra.

— Nesse tempinho de descanso, me dei conta de tanta coisa que eu sentia em relação às mulheres! A situação mais recente em que percebi isso foi quando fiz uma matéria para um site em que eu trabalhava. Tinham sido divulgados os números de uma pesquisa sobre os salários de homens e mulheres no Brasil. Todo mundo sabe que as mulheres ganham trinta por cento menos, certo?

— Certo — confirmou Tânia.

— Mas ninguém diz que os homens trabalham em média quarenta e duas horas, e as mulheres, trinta e cinco horas semanais. Então, fazendo as contas, a diferença de salário era só de oito por cento, e eu achava que isso era motivo pra comemorar. Ou seja, as mulheres estão conquistando seu espaço de direito. Sabem o que minha editora falou?

— O quê? — indagou Tânia.

— Que não era pra incluir isso na matéria! Disse pra eu colocar na manchete que a mulher ainda ganha bem menos do que o homem. Isso ia dar mais cliques, mais visibilidade aos patrocinadores. Fiquei puta.

— O Mike citou um pesquisador que descobriu que fatos ruins mexem duas vezes mais com o cérebro que os bons, lembra? — disse Amanda.

Paula pensou um pouco antes de responder.

— Faz sentido. Fui pesquisar mais e encontrei um artigo científico de 2015 feito por três pesquisadoras de Harvard mostrando que as mulheres americanas consideram que têm as mesmas oportunidades que os homens, mas não se interessam tanto pelos cargos de maior poder porque sabem que os conflitos e a pressão aumentam. E as que buscam o poder têm mais infartos precoces também, como os homens.

— O Mike comentou que a autoestima do homem é mais ancorada no desempenho do que a da mulher — disse Tânia.

— Eu mesma deixei de aceitar uma coordenação do hospital em que trabalho. Até larguei um plantão pra ter mais qualidade de vida e me preparar pra ter filhos, mas acabei me separando — disse Amanda. — Depois me critiquei por isso.

— Bem, meu ponto é que as mulheres tendem a tomar decisões mais equilibradas em relação a trabalho e qualidade de vida. O homem faz mais loucuras por poder. Ele ganha mais dinheiro por causa disso, mas paga o preço também.

— Mas, Paula, o que isso tem a ver com seu processamento, afinal? — perguntou Amanda.

— Eu me dei conta de que fiz isso tudo porque minha editora era mulher. Se fosse homem, acho que teria concordado com ele e pronto. Mas fui rebelde: primeiro mandei a matéria editada por ela, em que a mulher é vítima e tal, e exatamente uma semana depois mandei de novo a minha matéria reformulada sem passar por ela, dizendo que as mulheres tomam decisões mais equilibradas e os homens se matam em busca do poder.

— E aí? — perguntou Tânia.

— Minha matéria teve cinquenta por cento mais cliques e setenta por cento mais comentários, tanto de homens como de mulheres.

— Que maravilha! — disse Tânia.

— É, só que fui despedida — disse Paula, que viu Tânia colocar a mão na boca de espanto. — Só hoje percebi também o quanto essa rebeldia tem a ver com as cobranças da minha mãe e as imposições do meu pai. Na escola de freiras em que estudei também havia muitas regras que me irritavam. Se eu já tivesse a clareza que veio depois desse processamento, acho que teria encontrado uma maneira mais madura de ponderar o meu ponto de vista com a editora. Aliás, o fato de eu contar tudo isso pra vocês, mulheres, já é algo inusitado pra mim.

— Eu sentia você meio arredia mesmo — disse Amanda.

— Eu costumo manter distância de mulheres. Ou costumava, pelo menos. Acho que estou mais segura quanto a isso agora. Tem gente ruim dos dois sexos. Além disso, o jeito como eu me apresentava nas situações fazia as mulheres não mostrarem boa vontade comigo.

Mike anunciou que estavam entrando em Inverness e que valia a pena verem um pouco da cidade. Amanda voltou-se para a sua janela. Era mesmo algo lindo de se ver. As casas tinham três andares, com telhados pontiagudos e algumas torres, até que chegaram às margens do rio e avistaram um castelo antigo, todo iluminado. Poucos minutos depois, John estacionou em frente a um bar. Mike desceu e abriu a porta, falando alto:

— Bem-vindos ao Hootananny! Um dos melhores pubs da Escócia!

Saíram todos correndo para fugir do frio e entraram no bar amplo com paredes vermelhas, detalhes em madeira, candelabros pretos pendurados e um palco junto à grande janela que dava para a rua. O clima era familiar e tocava uma música alegre. Mike os levou a uma mesa no fundo.

Amanda sentou-se ao lado de Tânia e Alberto no banco junto à parede, e os demais se acomodaram nas cadeiras soltas. Mike disse que aquela era a hora de comer, porque o bar ia começar a encher. Todos pediram seus pratos. Amanda escolheu barriga de porco cozida com chutney de cebola roxa, mas ficou curiosa com o pedido dos outros. Depois de três dias confinados, foi consenso que uma cerveja cairia bem. Mike pediu uma chamada Yellowhammer, e Amanda o imitou. Estava começando a se sentir viva novamente.

As cervejas vieram rápido, e o grupo estava animado, brindando a cada descoberta feita nos processamentos. Era resultado da jornada intensa que viviam com o tipo de intimidade que se desenvolve com desconhecidos com quem nunca mais se vai encontrar. Na segunda rodada, Mike perguntou:

— Vocês não sentiram falta de algo no seminário hoje?

— Sim! — falou alto Carol. — A confissão dos segredos!

— Aaaaaaaah — disseram todos.

— Posso começar? — disse Carol, já embalada. — Eu quero dizer pra vocês que eu fuçava no celular do meu ex-namorado quando ele não estava vendo. Ele nem sabia que eu tinha a senha dele!

Paula provocou:

— Graaande segredo! Você e um bilhão de pessoas.

— Tá, tá — respondeu ela. Depois de alguns segundos olhando para seu copo, Carol emendou: — Eu forço o vômito de vez em quando depois de comer muito. Pra não engordar.

A mesa se calou por um instante, até que Fernando puxou:

— Viva a Caroool! — E todos acompanharam: — Viva!

— Você e onze por cento das mulheres brasileiras que têm o peso considerado ideal — completou Amanda, citando um estudo que havia lido recentemente.

— Tudo isso? — perguntou Mike, surpreso.

— Tudo isso. Obviamente, não preciso dizer que é uma das piores maneiras de perder peso.

— Isso começou aos quinze anos, quando tentei ser modelo — continuou Carol. — Eu até passava nas fases iniciais da seleção, mas sempre diziam que eu estava acima do peso e que precisava emagrecer. Eu era seis quilos mais magra do que hoje. Tentava comer menos, mas não conseguia. Na hora de fazer o trabalho, fui excluída três vezes por não estar no padrão que eles queriam. Depois de um ano, desisti. Nunca tinha contado isso pra ninguém.

— Foi um belo começo pra nossas confissões, Carol — disse Mike, levantando sua cerveja para ela, que pegou o próprio copo, brindou e o tomou até o fim.

— Ufa! — disse ela, ao relaxar os ombros e sorrir para Mike.

Alberto deu continuidade aos segredos.

— Eu acho que tenho o pau pequeno.

— Viva o Albeeerto! — bradou Tânia, dessa vez, seguida por todos novamente. — Posso saber quantos centímetros tem o brinquedo? — completou ela, o que provocou a gargalhada de Mike.

— Catorze centímetros.

— Vixe, dá pra se divertir e muito com catorze centímetros — emendou de imediato Tânia, piscando para Alberto.

— Essa Tânia é uma figura! — disse Mike. — Quem é o próximo?

— Eu vejo pornografia toda semana! — disse Fernando.

— Você e dois terços dos homens — disse Paula, dessa vez, imitando o jeito como Amanda falara pouco antes. — Já fiz uma matéria sobre isso também. Manda outra.

Fernando pensou um pouco e falou, com a cabeça baixa:

— Na verdade... minha mulher se separou de mim e disse que só pensaria em voltar se eu fizesse esse seminário.

— Viva o Fernaaando! — brindou Paula dessa vez.

— E tem mais uma coisa: eu trapaceei. Eu trouxe um celular a mais, que ficou comigo no meu quarto — disse, olhando para Mike. — Quando chegarmos ao castelo, eu entrego pra você. Acho que foi mais uma coisa que aprendi hoje sobre não precisar ser especial. Eu peço perdão a todos.

— Obrigado pela sinceridade — disse Mike. — O David já havia mencionado isso pra mim, porque ele vê no sistema de wi-fi. Eu estava torcendo pra que você fizesse isso. Isso se chama *entitlement*, termo que não sei traduzir bem para o português. É algo como se sentir soberano, com direitos especiais, como se você estivesse acima das regras que se aplicam a todos. Viva o Fernando! — disse ele, erguendo um brinde. — E mais uma pessoa parece estar acessando o wi-fi, mas não sabemos se ela vai se entregar.

Depois de alguns segundos de silêncio, Carol levantou o dedo e disse, claramente envergonhada:

— Minha mãe que pediu. Ela leu sobre essa regra no site e me emprestou o tablet dela. Só que não resisti e acabei postando fotos minhas no castelo também. Eu entrego hoje.

— Você acha que fez isso por se achar acima das regras ou por ser viciada nesse negócio? — Mike quis saber.

— Acho que os dois...

— Viva a Carol! — disse Mike, antes que os outros a criticassem. — Agora é a minha vez. Eu me deixei envolver por uma aproveitadora que me levou oitenta mil dólares. Sempre quando alguém reclama do preço de fazer terapia, eu conto essa história. Caro é viver pela metade, é ser refém de si mesmo. E eu era refém da minha carência, dos meus dramas, dos meus registros que me tornaram presa fácil para ela. É fácil acusar os outros, mas o fato é que quem se deixou se explorar fui eu.

Depois de um breve silêncio, Amanda brindou:

— Viva o Mike! — E todos a seguiram no ritual.

— Eu já estava separado e tinha acabado de perder o emprego. Ser psicólogo acadêmico não me protegeu das armadilhas escondidas na minha sombra. Só depois disso eu realmente entrei no modo de autoconhecimento.

— O que você fez pra se recuperar? — perguntou Amanda.

— Eu tinha trinta e sete anos na época e tive a sorte de encontrar o Peter Levine. Quem me tirou do buraco foi ele e sua Experiência Somática.

— Viva o Peter Levine! — disse Fernando, levantando seu copo. — Foi a técnica dele que você usou comigo hoje, não foi?

Mike confirmou com a cabeça e levantou seu copo em direção ao de Fernando. Tânia aproveitou para revelar seu segredo.

— Pra mim é uma *tortura* ficar sem sexo por mais de três dias. E hoje é o quarto dia! Mas fica tranquilo, Alberto, que eu sou fiel a meu marido. — Alberto levou um susto, e todos riram. Ela se virou para Mike e completou: — Pode anotar aí que estou com um aparelhinho eletrônico pra me ajudar nesse meu caso sério, mas não acessa a internet, não, viu, Mike? E vai ficar *comigo*!

Todos explodiram em gargalhadas.

Mais uma vez, Amanda estava em dúvida sobre o que falar e estava ficando para o fim. Paula avançou.

— Eu nunca tive um orgasmo. — A mesa ficou em silêncio. — E meus namorados nunca souberam disso.

— Viva a Paula! — disse Mike, olhando para ela, seguido por todos.

Todos olharam para Amanda.

— Meu primeiro constrangimento é ficar sempre para o fim. Pode parecer ridículo depois de todas as revelações de vocês, mas o que me tirou do sério hoje foi que eu descobri meu primeiro cabelo branco. Óbvio que eu arranquei e joguei longe. — Olhou para Mike em busca de compreensão. — Tenho vergonha de ter me abalado tanto com uma coisa tão pequena e natural.

— Viva a Amanda! — disse Mike, com todos entoando o último "viva" sem empolgação bem na hora em que os pratos chegaram.

Amanda se sentiu uma idiota por ter falado aquilo. Logo se deu conta de que seu "eu crítico" estava martelando novamente, porém não conseguia desligá-lo. Inclusive começou a criticar duramente o seu "eu crítico", o que a deixou mais incomodada com as armadilhas que sua mente preparava. Felizmente a comida chegou, e ela pôde se dedicar à sua barriga de porco, que estava suculenta e gordurosa, o que pedia mais goles de sua também deliciosa cerveja. Já estava no fim do seu segundo *pint*, ou seja, passando de um litro. Não costumava beber assim; no entanto, tudo convidava: os brindes, o clima do bar, do grupo, o alívio de estar com o peito leve depois de um ano, aquela bobagem que havia falado e seu "eu crítico" suplente criticando o oficial. Merecia um pouco de distração.

Notou Fernando fazendo careta quando experimentou sua comida. Tinha pedido algo chamado *haggis*, que parecia uma bola recheada. Quando Paula perguntou o que era, ele disse que não sabia direito. A única coisa que ele havia entendido do garçom era *lamb*, ou seja, carneiro, mas não sabia de fato o que estava comendo. O que chamou sua atenção na descrição do cardápio foi o molho de uísque. O gosto era marcante, e a textura o repugnou. Todos começaram a rir, menos Tânia, que pediu para provar e deu o veredicto:

— Isso é mininico de carneiro!

— Mininico? — disse Fernando.

— É como buchada de bode, que se come no Nordeste. Isso é o estômago e aqui dentro são as vísceras — descreveu Tânia, tranquilamente, enquanto Fernando ficava cada vez mais pálido. — Na Bahia se come buchada de carneiro e se chama mininico. Pode passar pra cá que eu traço! — disse ela, entregando seu prato de almôndegas para ele.

Quando estavam acabando de comer, o movimento no bar aumentou, e uma música alta tomou conta do ambiente. Na mesa central havia quatro músicos com seus instrumentos: um violino, um acordeão, um violão *folk* e um instrumento de percussão.

— Esta é a versão escocesa da roda de samba — disse Mike, já se encaminhando para perto.

As pessoas que circundavam a mesa se puseram a acompanhar a música com palmas. Logo depois, chegou mais um músico com uma gaita de foles e começou a tocar. Amanda, que já havia se aproximado do centro do bar, sentiu na alma o som daquela gaita. Seu corpo arrepiou; *a sensação*, ela pensou, *é de uma serpente diante do seu encantador*. A música seguinte foi ainda mais contagiante e, quando viu, estava ao lado de Mike batendo palmas e dançando de uma forma que nunca tinha dançado antes. Mike sorria para ela, que gritou para ser ouvida:

— Acho que eu tenho sangue escocês!

— É o que parece. Eu tenho sangue celta e adoro esse tipo de música.

Quando ela olhou para o outro lado, havia um enorme rapaz ruivo e barbudo sorrindo para ela, com uma cerveja na mão e encostando em seu braço. Ela não sabia o que fazer. Mike estava totalmente envolvido com a roda. Viu Fernando logo atrás e pediu que ele fingisse ser seu namorado. Como ele estava separado da mulher, não seria tão problemático, afinal.

— Pode deixar — respondeu ele, abraçando-a por trás.

Amanda levou um susto, mas, ao ver novamente o ruivo, que com certeza já se encontrava algumas cervejas na sua frente, fez de conta que estava tudo bem. Continuou batendo palmas e dançando do jeito que dava. Começou a ficar com calor e aproveitou para se refrescar com a cerveja que Fernando tinha levado consigo. Ela se afastava um pouco, depois se jogava um pouco para trás e sentia o corpo dele. *Meu Deus, o que estou fazendo?*, pensou. Aquela gaita de fole a hipnotizava e, junto com o calor e as palmas no meio daquela pequena multidão bêbada, só deixava seu corpo fluir. Mike parecia uma criança.

Ela pediu licença. No caminho do banheiro, terminou sua cerveja, que ficara na mesa. Todos estavam na roda. Entrou pelo corredor dos banheiros e viu o feminino livre, por milagre. Acocorou-se o suficiente para não encostar no vaso e sentiu suas pernas tremerem. Perdeu o equilíbrio e se segurou na parede. Estava bêbada, percebeu, mas conseguiu acertar o alvo.

Saiu aliviada e contente por se divertir depois de tanto tempo. Passou pela mesa e ouviu uma voz vinda do bar a seu lado:

— Amanda!

Só deu tempo de perceber que era Fernando. Quando viu, ele a estava beijando e, por reflexo, começou a beijá-lo também. Empurrou-o, mas ele não soltou. Então, ela se rendeu. Fazia tanto tempo que não beijava. Deve ter ficado assim por um minuto, levada pela música e por ele, quando se deu conta do que estava acontecendo.

— Fernando! — disse, dessa vez conseguindo se afastar. Não sabia o que dizer, então foi em direção à roda novamente, meio cambaleante, sem olhar para trás.

Avistou Mike e foi para o lado dele.

— Acho que bebi demais.

— Daqui a pouco vamos embora. Já são dez e meia. Água ou refrigerante?

— Refrigerante! — disse ela.

Mike pegou-a pelo braço e a levou em direção ao bar, onde estava Fernando. *Ai, ai, ai*, pensou ela. Ele pediu dois refrigerantes e falou alguma coisa para Fernando, que logo saiu dali. Amanda se debruçou no balcão.

— Fiz bobagem — disse para Mike.

— Todos fazemos — disse ele, encostando a cabeça dela em seu ombro.

Era o que ela estava precisando naquele momento.

DIA QUATRO

vazio

DEPOIS DE UMA NOITE AGITADA, Amanda até que acordou bem. Sua estratégia de tomar meio litro de água e dois analgésicos antes de dormir preveniu a maior parte da ressaca. O peso na cabeça era tolerável. Eram oito e meia, mas o seminário só começaria em uma hora. Poderia se martirizar sem pressa sobre o incidente com Fernando na noite anterior. Nem perdeu tempo tentando culpá-lo por beijá-la de repente. Por que diabos ela tinha inventado aquela história de fingir que era seu namorado? Era só ter saído dali e ficado do outro lado do Mike, se o problema fosse o rapaz ruivo.

Ficou sentada no vaso com o queixo apoiado na mão e o braço apoiado na coxa, olhando para o azulejo da parede. Era a versão feminina de *O pensador* de Rodin, no vaso sanitário. Sim, o álcool tinha contribuído. O fato de Fernando ter dito que não estava mais com a mulher também. Apesar de tê-lo achado atraente no início, seu encanto havia se perdido durante o seminário. Algo mudou depois do processamento dele: parecia despido, vulnerável, e sua honestidade sobre a desonestidade de guardar um celular escondido chamou sua atenção. Ele parecia mais à vontade de ser ele mesmo na sua versão imperfeita. Ela estava leve depois do seu processamento, seu peito tinha se expandido após ficar comprimido durante um ano.

Lembrou-se dos sete erros sequenciais que fazem um avião cair. Se um deles deixasse de ocorrer, não haveria acidente. No seu caso, se algum desses elementos não estivesse presente, aquele beijo jamais teria ocorrido. Contou nos dedos: álcool, ele solteiro, ele natural, ela leve depois do processamento e o ruivo — cinco fatores. Desconfiou que havia alguma revelação na caixa-preta, que estava perdida no fundo do mar com os destroços. Era melhor tomar um banho e se arrumar.

Quando estava quase pronta, abriu a cortina e viu o bosque. O dia havia raiado, e o sol se insinuava entre as nuvens. Olhou para a árvore próxima à sua janela e percebeu um movimento, algo indo para trás do tronco. Dava para esperar um pouco para ver seu amiguinho. Levou alguns segundos até ele aparecer. O esquilo parecia mais claro, talvez por causa do sol, imaginou. Ele ficou parado sem dar bola para ela. Resolveu bater de leve no vidro. Ele olhou e não se aproximou. Estava diferente. Parecia maior? Sua cauda cinza se mexeu. Cinza? Nãããããão! Era o esquilo cinza! Onde estava o vermelho? Sentiu a cabeça ferver. *Seu filho da puta, o que você fez com o esquilo vermelho?*, gritou mentalmente. Começou a bater forte na janela. Ele não se mexeu. Viu um pequeno bloco de papel com uma capa dura de couro. Ficou possuída. *Seu invasor de araque!*, falou baixinho, rangendo os dentes. Abriu a janela e arremessou o bloco, batendo no galho perto do esquilo cinza, que fugiu. Olhou em volta com mais atenção. Nada do seu amigo ruivinho.

Quando desistiu de procurar, voltou a si. O que foi aquilo? Atirou-se na cama de bruços. Estava chocada consigo mesma. Nunca havia se importado com esquilos. Qual era a diferença prática na vida dela se o esquilo cinza tomasse conta de toda a Escócia? Tentava se convencer pela lógica, mas, quando a imagem do esquilo vermelho surgiu na sua mente, sentiu um nó apertando o peito e cruzou os braços embaixo do corpo. Queria pegar o esquilinho vermelho e enchê-lo de carinho. Só que não tinha nenhum esquilo ali com ela, e era hora de descer para o café.

Amanda deu bom-dia a todos que já estavam na mesa como se fosse uma manhã comum. Pediu o mingau de aveia reforçado e café preto. Estava com mais fome do que nos outros dias, apesar de ter comido bem na noite anterior. Sentia-se agitada internamente e sabia que a sessão com Mike se aproximava. A única conversa que iniciou foi com ele e com Alberto, que estavam próximos:

— Vi um esquilo cinza agora de manhã.

— Eles já estão chegando aqui então. Nos anos anteriores, só se via o vermelho — disse Mike.

— E não vi o vermelho... — disse ela, com a voz fraca.

Mike olhou para ela e levantou os ombros. Aquilo bastou para deixar claro que as coisas são como são, mas ele complementou:

— Algumas coisas ruins podem ser feitas mesmo com boas intenções. Talvez tenha sido o caso de quem trouxe o esquilo americano pra cá. No princípio, não houve problema. Só se percebeu o dano alguns anos depois, quando já era tarde demais para remediar.

— Acho que isso acontece na vida da gente algumas vezes, não? — disse Alberto. — São feridas mais difíceis de identificar porque parecem coisas triviais, mas que mudam totalmente nosso contexto.

— Você percebeu isso na sua história pessoal, Alberto? — perguntou Mike.

— Sim, ontem no processamento com o áudio. Minha mãe me colocou no colégio em que ela trabalhava. Era mais fácil pra eu ir com ela, só que perdi meus colegas e não fui bem recebido na escola nova. Não me trataram mal, mas levei três anos pra me sentir parte daquele ambiente. Ainda por cima tinha uma cobrança a mais por parte da minha mãe, que queria que as colegas vissem que eu era inteligente e disciplinado. Ou seja, que ela era boa mãe mesmo sendo divorciada. Isso foi no ano seguinte à separação deles, quando ela voltou a trabalhar.

As palavras de Alberto rodaram na cabeça de Amanda até a hora de começar o seminário, assim como a imagem da caixa-preta do avião no fundo do mar.

De cara Mike avisou que no dia seguinte fariam uma viagem ao lago Ness. Agradeceu a Carol e Fernando o fato de entregarem seus aparelhos extras e confirmou que não havia recebido mensagem alguma até agora clamando por eles. Tudo parecia em paz, apesar de estarem desconectados. Depois, fez o gancho com o dia anterior.

— Acho importante comentar algumas coisas sobre os segredos de ontem. É interessante notar como acontecem as comparações com os outros em geral. Apareceram coisas muito relevantes, como as declarações do Alberto e da Carol. Em primeiro lugar, obrigado por compartilharem isso, que é muito íntimo e mostra a abertura e a coragem de vocês. Lembrem-se de que não estão sozinhos em relação a esses dilemas internos que afetam a autoestima. Eu gostaria de perguntar pra vocês: quais são suas referências do que é ideal?

— Acabei não sendo modelo, mas trabalho com moda — disse Carol. — E é um ambiente em que as mulheres são todas magérrimas. Perto delas eu me sinto uma baleia.

— Ótimo, Carol, e quando você pensa em emagrecer, existe alguém a que você queira agradar?

— Os namorados, acho...

— Hum, alguma vez eles fizeram algum comentário sobre seu peso, que gostariam de você mais magra?

— Que eu me lembre, não. Mas eu imagino que me queiram sempre magra.

— Certo. Eu gostaria que você pensasse nessas duas coisas que você falou. E você, Alberto, qual é seu parâmetro de referência?

— Ah, aqueles caras de filme pornô. Perto deles eu me sinto pequeno.

— A quem você gostaria de agradar, se tivesse um pênis maior?

— A minha mulher, principalmente, mas acho que a mim mesmo também, no vestiário masculino, por exemplo. Nem precisa fazer a segunda pergunta, porque, mesmo quando eu dei a entender para a minha mulher que eu me achava pequeno, ela não deu bola e disse que era uma bobagem, que eu era ótimo do jeito que era.

— Fernando, você tem a mesma sensação quando vê pornografia?

— Às vezes, sim. Eu evito ver os muito avantajados, porque eu me sinto um pouco mal.

— Qual é a crença essencial por trás disso? Não quero que respondam agora. Quero que cada um pense em alguma situação semelhante na própria vida e reflita sobre isso. Pra deixar mais claro, essa crença é uma frase que começa com "eu".

Amanda se identificou logo com Carol, mas não era tão esbelta quanto ela. Já havia tido suas fases de gordinha, a pior na infância, depois algumas vezes ao longo da vida. Sempre estava de olho na balança para não passar dos sessenta e seis quilos em um metro e sessenta e seis de altura. Considerava cinquenta e oito quilos o peso ideal, mas geralmente ficava em torno de sessenta e dois. Sua crença era algo como "eu não sou atraente o suficiente" se estivesse acima de sessenta e dois e "eu não atraio ninguém" depois dos sessenta e seis. Anotou as duas frases em seu caderno, com os pesos ao lado. Logo depois ela lembrou que seu ex-namorado Marcelo dizia que gostava de ter onde pegar, mas ela achava que ele falava aquilo para lhe agradar.

— Carol e Alberto, vocês chegaram a alguma frase?

— Eu não sou bom o suficiente — disse Alberto.

— Eu não sou tão bonita quanto deveria ser — exprimiu Carol.

— Ótimo. As frases dos outros foram semelhantes?

Todos assentiram.

— A crença e o medo de não ser suficientemente bom são muito comuns e perigosos. Vocês conseguem enxergar as armadilhas que existem nesses pensamentos?

— Por esse ponto de vista, fica óbvio que é um pensamento ridículo, porque o que interessa mesmo é a minha mulher — respondeu Alberto.

Mike assentiu e virou-se para Carol:

— Mais ou menos — disse ela.

— Há alguma evidência concreta de que seus ex-namorados gostariam mais de você se fosse mais magra?

Carol pensou um pouco.

— Concreta, não. Eu imaginei que eles pensassem isso.

— Existe alguma evidência de que eles gostavam de você do jeito que você é?

— Hum... Sim. Eu recebia elogios, eles diziam que me amavam.

— Então você dá mais valor ao que imagina que eles pensavam de negativo do que ao que eles demonstravam de positivo?

— É... Eu nunca tinha visto por esse ângulo. Mas você sabe que queremos ser magras também para as mulheres.

— Concordo. Esta é uma das armadilhas da autoestima frágil: comparar-se com os outros. Mas você já havia passado por mais de uma experiência de ser rejeitada em função de não ser magra o suficiente. Você percebe a generalização que sua mente fez de um contexto para o outro?

— Sim, está mais claro pra mim agora. O que vale para o mundo da moda não necessariamente se aplica ao que os homens acham atraente.

— Exatamente. Isso que eu acabei de fazer com vocês é uma abordagem cognitiva, ao estilo do que Beck faria — disse Mike, olhando para Paula. — O foco dele era encontrar as distorções do pensamento, tanto de pensamentos automáticos, aqueles que pipocam na nossa cabeça, como da crença central. Daí se dialoga com o paciente buscando identificar essas armadilhas para desarmá-las. Como *eísta* que sou, reconheço valor nessa abordagem, que já ajudou e ajuda muita gente. Mas o que eu gosto de fazer, como sabem, é conduzir as pessoas a processarem as situações que deram origem a essas distorções. Algumas são situações pontuais, outras são contextos mais complexos ou relações pessoais. Hoje, na nossa sociedade viciada em imagem e em ser o melhor, esses registros podem ser incutidos em nós de modo muito sutil em centenas de situações diferentes. Pensem no que nos leva a ideais e expectativas tão altos. Digam o que vier à cabeça de vocês, e eu anoto. Falem também o que esses estímulos os levam a pensar de si mesmos. Por exemplo, filmes pornôs levam a pensar que é preciso ser bem-dotado e ser um atleta sexual para proporcionar prazer a uma mulher.

— O que eu já vi desses filmes é muito soca-soca e pouco esfrega-esfrega — disse Tânia, provocando uma risada geral —, além de zero romance...

— Obrigado, Tânia. De fato, a pornografia não leva em conta aquilo de que as mulheres gostam de verdade. Vamos fazer nossa lista.

Cinco minutos depois, a lista era a seguinte:

- *Modelos magras em revistas e desfiles de moda fazem pensar que é preciso ser magra para ser elegante e admirada.*
- *Mulheres e homens supermalhados fazem pensar que atributos físicos considerados perfeitos são necessários para atrair alguém.*
- *Propagandas de carros levam a pensar que você precisa deles para ter status e poder.*
- *O culto ao sucesso financeiro e profissional como finalidade em vez de consequência leva a pensar que são referências do valor de uma pessoa, principalmente para homens.*
- *Histórias e filmes de Hollywood levam a pensar que temos que ser lindos para viver um romance e que "e foram felizes para sempre" existe sem esforço.*
- *Histórias de princesas levam a pensar que existem príncipes encantados e que só moças lindas, de pele clara, magras e com cabelo liso ou loiro vão ser admiradas pelos potenciais príncipes.*

- *De modo geral, propagandas de diversos produtos (celulares, roupas, joias, relógios) levam a pensar que precisamos deles para sermos felizes, então é necessário ter muito dinheiro para adquiri-los.*
- *Fotos felizes ou descoladas nas redes sociais levam a pensar que os outros são mais realizados do que nós.*
- *Fotos "photoshopadas" levam a pensar que estamos muito defasados quanto ao nosso corpo e à nossa idade e que só a juventude é boa.*

— Já é o suficiente — disse Mike. — Então, qual é a regra geral que se tira disso tudo?

Alberto pediu a palavra.

— A gente cria um ideal que é bem superior à realidade. Assim, temos uma sensação de falta e, para cobrir essa falta, é preciso fazer alguma coisa que envolva gastar dinheiro.

— Concordo, Alberto — disse Paula —, mas, sem esses produtos e suas propagandas, eu não teria emprego na mídia.

— Pois é... Eu não estou dizendo que isso não deveria existir, até porque adoro jornais e revistas — respondeu Alberto.

— Acho que, em muitos casos, essa falta emocional de que o Alberto falou está por trás da ansiedade — disse Amanda. — No consultório, é comum os pacientes dizerem que comem demais por ansiedade, mas, quando tento investigar, é um sentimento difuso, não sabem explicar direito. Talvez tenha a ver com isso.

— Só que a gente passou a achar tudo tão normal que não se dá conta mais de como isso nos influencia — disse Fernando. — É um bombardeio diário dessas imagens. É impossível não se expor a elas.

Houve um breve silêncio. Mike estava assistindo com interesse ao debate, e todos olharam para ele.

— Não tenho muito a acrescentar, vocês pegaram totalmente o espírito da coisa. Cabe a cada um de nós ter consciência dessa dinâmica e evitar aceitar esses modelos e ideias como certos. Não é fácil filtrar esses estímulos porque os olhos se voltam automaticamente para tudo o que se mexe e é saliente. É um instinto de proteção. Por isso é tão difícil não olhar para a televisão em um bar; esse aparelho foi instalado nos bares americanos há décadas e se espalha cada vez mais no Brasil, principalmente em dia de futebol. A mesma coisa se aplica às imagens coloridas e sedutoras em revistas, computadores e celulares, que atingem primeiro as camadas profundas do cérebro. Não é à toa que estamos viciados em telas de todos os tipos. A luz brilhante e as cores que se mexem nas telas são magnéticas tanto para adultos como para bebês.

— Se estou entendendo bem, Mike — disse Alberto —, além dessa consciência, é cada vez mais necessário mantermos uma boa higiene dos estímulos e das informações que consumimos.

— Bem colocado, Alberto. Por outro lado, felizmente também podemos tirar proveito do sistema visual para promover o processamento de memórias traumáticas. Já fizemos isso com o EMDR no processamento da Paula e com o Alberto usando o *Brainspotting*, quando apliquei uma versão mais simples da técnica. Agora gostaria de um voluntário para fazer essa técnica com a ponteira.

— Eu quero fazer — disse logo Amanda. Pelo menos nesse momento sua impulsividade recentemente aflorada a ajudou.

Mike preparou as cadeiras e a convidou a sentar. Segurava um objeto parecido com uma caneta, mas que ela não conseguiu identificar. Amanda estava nervosa e sentiu a pressão de ser o foco das atenções. Mike lhe entregou um fone de ouvido, que ela ajustou na cabeça. Começou a ouvir as ondas do mar oscilando com suavidade entre um ouvido e outro.

— O que vamos trabalhar, Amanda?

— Ontem processei com o áudio a traição do meu ex-marido e foi muito bom, apesar de bem doloroso, principalmente no começo. Saiu um bloco de concreto do meu peito. Era uma mistura de mágoa, raiva e tristeza que foi se dissolvendo à medida que eu me lembrava de tudo o que aconteceu. Depois disso, minhas emoções ficaram mais intensas — disse, olhando para ele em busca de alguma resposta.

Mike levou um tempo para responder.

— Isso pode acontecer depois de processar algo pesado assim. Como se fosse um descongelamento e você pudesse sentir novamente.

— Sim, me sinto mais leve, mais viva de novo. Mas sei que tem mais coisas pra trabalhar. No fim da sessão de ontem, vieram um lamento e um vazio no peito.

— Hum... interessante, Amanda. Esse é um bom ponto de partida, se você quiser seguir por esse caminho.

— Sim, quero.

— Ótimo. Tente entrar em contato com esse vazio e verifique como ele se manifesta no seu corpo. Sem pressa.

Amanda fechou os olhos e começou a mergulhar, estimulada pelo som do mar e pela presença segura de Mike. Lembrou-se do fim do seu processamento do dia anterior. Lentamente começou a sentir o vazio.

— Estou sentindo no peito.

— Ótimo, Amanda. Conectada a esse sentimento, deixe sua mente flutuar para trás no tempo... Vamos buscar desde quando esse vazio está aí dentro.

Sua mente vasculhou sua história por alguns segundos até chegar a uma cena.

— Estou com uns seis anos, tínhamos mudado de casa havia pouco tempo. Estou sozinha no meu quarto, que ainda não é bem meu. Eu adorava a outra casa. Era simples, mas tinha um jardinzinho na frente onde eu brincava com meus vizinhos. E tinha minha avó na casa ao lado, onde eu comia bolo à tarde.

— Vamos ficar com essa imagem da menina sozinha no quarto novo. Qual é a intensidade desse vazio agora, de zero a dez?

— Seis.

— Onde estão os seus pais?

— Não sei, devem estar na sala ou no quarto deles. Ou cuidando da minha irmã mais nova.

— Hum... Que idade ela tem?

— Não sei, uns seis meses talvez.

— Ok — disse Mike, pegando sua caneta e espichando-a até ficar comprida. Na verdade, era uma ponteira daquelas antigas de professor, parecida com uma antena das TVs de antigamente. Ele a posicionou entre eles na altura dos olhos, mais para a direita dela. — Agora pode abrir os olhos. Eu vou colocar a minha ponteira em cinco lugares diferentes e quero que identifique a posição em que você sente mais esse vazio.

Amanda olhou fixamente para a ponteira, achando interessante aquela abordagem. Não sentiu nada de mais no primeiro ponto. Mike moveu um pouco mais para o centro, e Amanda sentiu algo diferente no peito. Alguns segundos depois, ele posicionou a ponteira bem no meio e, para sua surpresa, o vazio aumentou. Mais um movimento da ponteira, agora levemente para a esquerda, e seu peito afundou como no dia anterior. Aquilo era muito curioso! Quando Mike moveu mais para a extrema esquerda, aquele sentimento que ela havia detectado arrefeceu um pouco.

— Aqui é mais forte — disse ela, apontando para a posição anterior, ao mesmo tempo que ele movia a ponteira para o ponto que ela indicara.

— Agora vamos ver se faz diferença um pouco mais para cima... ou para baixo.

— Aqui, um pouco pra cima a sensação é mais forte.

— Certo. Agora vamos ver como é quando eu afasto — disse ele, levando a antena lentamente para trás.

Amanda sentiu ainda mais o vazio. Daria uma intensidade de oito ou nove.

— Aí é bem forte — disse ela, e Mike parou de afastar.

— Agora deixe sua mente aberta para histórias e sentimentos que vierem, sempre notando como seu corpo se modifica nesse processo — disse Mike, devagar. — É uma espécie de meditação, basta observar tudo com curiosidade e deixar acontecer.

Amanda ficou olhando para aquela pontinha de metal até que sua visão embaçou um pouco. Podia perceber seu corpo com muita clareza — era como se estivesse num filme em sua mente. Sentia solidão e estava perdida na nova casa. Viu-se na mesa comendo enquanto sua mãe dava toda a atenção para sua irmãzinha, que começava a comer papinha. Queria atenção, mas não sabia como consegui-la. Olhava para o seu pai, que dava algum amparo momentâneo para ajudá-la com a comida, mas era só. Carência, falta, suas costas começaram a tensionar. Comida. Seus pais gostavam quando ela comia bastante. Comer era um bom modo de ter o olhar deles, mesmo que por alguns segundos. Gostava da sua irmãzinha, e sua mãe disse que ela mesma havia pedido um irmão. Mas ninguém avisou que passaria por isso. Fechou os olhos, deixando-se levar pelas ondas do mar e pelas sensações do seu corpo. Sentia uma dorzinha de leve no lado esquerdo. Não conseguia mudar aquele cenário, mas comia. Comia. Carência, perdida na casa nova, sem sua avó do lado... A comida a ajudava a lidar com aquilo tudo, além de receber mais atenção dos pais por estar acima do peso. Ah, pelo menos se importavam com ela. Sua mente se esvaziou por alguns segundos, e Amanda reparou no novo som da chuva e das trovoadas vindo do fone... Até que o esquilo cinza apareceu em sua mente. Sentiu a raiva subir pela sua cabeça. O que ele estava fazendo lá? Levou alguns segundos para se dar conta de que o esquilo cinza era, para ela, sua irmã, e a própria Amanda era o esquilo vermelho. Sua irmã invadiu seu espaço assim como aquele desgraçado do esquilo americano invadiu o espaço do esquilo vermelho. Sentiu seu braço direito quando se lembrou do arremesso do caderno pela janela. Que bizarro era tudo aquilo. Seu corpo foi se acalmando aos poucos.

— Me dê uma ideia do que está passando aí dentro — pediu Mike.

— Me senti sozinha e carente quando minha irmã nasceu e acho que isso tem a ver com comer demais e engordar. Queria atenção dos meus pais e eles não me davam.

— Ótimo, vamos seguir com isso.

Nesse momento, reconheceu que tinha ciúmes da irmã. Ao mesmo tempo, gostava dela e esteve por perto a vida inteira. Vieram cenas de ciúmes também dos seus namorados. Eram flashes. Vários. Lembrou-se das histórias que inventava para que eles ficassem com ela e não saíssem sozinhos com os amigos. Quando não dava certo, apelava para a comida. Carência de novo, comida. Seu peito voltou a se manifestar com o vazio. Percebeu que foi a carência que, na noite anterior, a levou a se insinuar para Fernando. *O sexto elemento dos sete que levam a acidentes, pensou.* Engraçado como ficava tudo tão simples e claro olhando para aquela varinha de metal enquanto prestava atenção em seu corpo. As sensações não paravam de mudar.

De repente, veio a imagem do primeiro dia de aula. Via as crianças fazendo as atividades, mas queria mesmo estar no seu jardim ou na casa da avó. Sua mãe contava que levara um mês para Amanda se adaptar. Ela ainda não havia se mudado e não tinha irmãzinha nenhuma. A tensão se concentrava abaixo do umbigo. Medo, talvez. Sentiu o peso das expectativas de seu pai em relação a ela. Precisava atender àquilo, senão não seria aceita. Entendeu que, se fizesse tudo direitinho na escola, tudo ficaria bem e ela seria valorizada. Que coisa... Especializou-se nisso. Fazer tudo direitinho, precisava ser uma boa menina. Sentiu um pouco de náusea e fez cara de nojo. Quando estava claro o quanto havia se moldado para atender os outros em vários contextos, soltou um arroto. Colocou a mão na boca e ficou constrangida.

— É normal, na vida a gente engole muitas coisas que não quer — disse Mike, calmamente.

Como ele podia saber disso... Aliás, como ela não tinha se dado conta disso antes? Parecia tudo tão óbvio. Seu corpo realmente tinha registros guardados e uma inteligência própria. A náusea passou, mas o peito voltou a incomodar de um modo diferente. Parecia uma... uma... culpa? Culpa de quê? Sua mente vagou por mais uns instantes, até que se lembrou de um dia em que seu pai acusava sua mãe na cozinha. Devia ter uns dez anos e estava na sala vendo televisão com a irmã. Era uma discussão de casal. A frase dele nunca saiu da sua cabeça: "Se você tivesse tomado a pílula direito, não precisaria ter se casado comigo. Agora, aguenta". Assim que encontrou sua avó, perguntou o que significava tomar pílula. Ela explicou que era para não engravidar. Sentiu seu peito doer nesse momento e a culpa aumentar. Sua avó perguntou por que ela queria saber, mas Amanda não teve coragem de contar que tinha ouvido a conversa dos pais. Não havia dúvidas: ela não havia sido planejada, e sua chegada fora o motivo do casamento dos pais. Carregou isso consigo e só aos quinze anos, discutindo com a mãe, colocou tudo a limpo. Já não aguentava mais sua irmã sendo favorecida em tudo. Quem mandou não se cuidarem? Havia uma culpa dentro dela que não era dela... Aquela varinha apontada para ela parecia acusá-la, mesmo distante. Encarou a pontinha de metal. Recordou-se de sua mãe contando a história toda, apesar de negar que favorecia a irmã. Levou um minuto até se sentir mais forte e segura; no entanto, apareceu algo novo. Vergonha? Sua mente vagou um pouco, e ela identificou que havia vergonha, mas não era sua. Veio uma sensação na barriga, prestou atenção nela. *Meu Deus*, pensou, *é da minha mãe*. Herdada. O peso no seu peito começou a aliviar. Começou a entender o que a mãe havia passado.

Viviam em uma cidade pequena do interior do estado, e a mãe era considerada uma puta por estar grávida antes de se casar. Ela tinha vinte e um anos quando a teve. A culpa estava sumindo para dar lugar à indignação. Essa merda de sociedade com normas ridículas... Todo mundo cagando regra pra dizer o que é certo e o que é errado.

Apertou os dentes, e sua cabeça latejou bem onde doía quando tinha enxaqueca. Colocou a mão na testa.

— Observe essa sensação, não é preciso reagir a ela. É só deixar o seu corpo fazer o que ele quiser.

Seu corpo parecia um parque de diversões. Como podia ter tantas reações? Era desagradável, mas sentia que algo muito profundo estava sendo resolvido, limpo. Tinha ondas de alívio intercaladas com sensações que mudavam de lugar, qualidade e intensidade. Sua raiva também se dissolveu. Começou a relaxar. De repente, percebeu uma tensão no pescoço e junto surgiu uma vontade de espichá-lo e girá-lo lentamente. E foi o que fez. Era tão gostoso. Não vinha nada em sua mente, só essa sensação do pescoço amolecendo. Até que se viu sendo embalada como um bebê no colo da avó. Aqueles seios fartos e aconchegantes... Não sabia se aquilo era uma memória real: o que importava era o conforto e a segurança que estava sentindo. Amor. Sentia uma leve vibração em sua pele.

— Isso é tão maravilhoso de sentir. Agora sou um bebê no colo da minha avó.

Ela sabia que Mike estava ali, exalando algum tipo de generosidade difícil de descrever. Seu olhar a fazia se sentir acolhida. Amanda deu um suspiro muito profundo e sentiu uma paz imensa.

— É processamento pré-verbal, o que é muito bom. Perceba bem como está seu corpo, que carrega esses registros antigos.

Sua mãe apareceu na cena e suavemente a abraçou enquanto Amanda estava no colo da avó, como se ela fosse o recheio de um sanduíche. Curtiu essa sensação de olhos fechados por alguns minutos e depois, sem saber bem o porquê, abriu os olhos. Mike falou, baixinho:

— Vamos ver agora como você percebe a situação do início da sessão, quando estava sozinha no quarto sentindo um vazio no peito.

Amanda imediatamente retornou àquele momento.

— Hum... O vazio passou, mas ainda existe um lamento.

— Vamos fazer uma coisa: eu gostaria que a Amanda adulta, essa que está aqui, entrasse nessa cena.

Aquilo era estranho, mas em um segundo ela estava lá, adulta, do lado da Amandinha.

— Agora a menina vai poder dizer o que está sentindo e pedir para a Amanda adulta tudo, tudo de que precisar.

A menina olhou para a adulta e disse que ainda estava triste por estar sozinha. A Amanda adulta segurou a sua mão, garantindo que estava ali com ela, que nunca mais ela ficaria sozinha. Viu os olhos caídos da menina brilharem, e a pequena Amanda pediu um abraço. A adulta colocou-a de pé em cima do sofá e lhe deu um abraço apertado, longo, quente. A menininha foi relaxando e se entregando. Os olhos de Amanda se encheram de lágrimas, e seu peito estava quente. De repente, a adulta começou a girar a menina no ar, ainda a abraçando, e seu quarto na casa nova se encheu de flores e folhagens do seu jardim antigo. As duas caíram na grama e começaram a rolar, rindo sem parar, felizes simplesmente por estarem juntas, uma na companhia da outra. Amanda chorava copiosamente de alegria e, dessa vez, nem passou por sua cabeça se constranger.

— Perceba bem essa sensação no seu corpo — disse Mike.

Amanda estava se sentido expandida e feliz no corpo todo, como se estivesse ligada na tomada. Apesar da intensidade, era uma energia harmônica.

— Ainda temos um tempinho antes de encerrarmos. É hora de uma guardar a outra no coração.

Ela aproveitou o momento com a pequena Amanda. Despediram-se, e Amanda sentiu a menina ficando menor e se instalando no fundo do seu peito, com um sorriso cheio.

Amanda abriu os olhos, voltou para a sala e encontrou o olhar doce de Mike. Depois de alguns segundos, ele pediu:

— Você poderia nos contar de que modo esse processamento que acabou de fazer se relaciona com a sua autoestima?

Amanda pensou um pouco antes de responder. Sua mente estava em um ritmo mais lento, de tanta paz que sentia. Ela falou devagar.

— Esse vazio... era um tipo de desamor. Um desamparo. Queria meus pais mais próximos de mim... Acho que nunca me permiti ter ciúmes da minha irmã porque a amei desde que ela nasceu. Inclusive eu insisti muito para que meus pais tivessem outro filho. Mas senti falta da minha mãe quando ela nasceu — disse, olhando para a janela. — Veio também uma compreensão melhor sobre minha mãe. Ela se casou grávida de mim, e acho que isso a deixou envergonhada. Só descobri mais tarde. Já minha irmã foi planejada. O que eu tive de afeto mais puro veio da minha avó, mas nos mudamos para uma casa um pouco maior depois que minha irmã nasceu e nos afastamos bastante dela. Isso também contribuiu para o vazio, que, aliás, tinha tudo a ver com o ciúme que eu sentia dos meus namorados e do meu marido. Está tudo ligado. Eu passei a fazer tudo que me pediam em casa e na escola para ser valorizada. Cumpria as expectativas que jogavam em cima de mim. Parece que não bastava simplesmente ser quem eu era. E eu não conseguia expressar aquilo de que eu precisava. Fui me afastando de ser eu mesma... e passei a comer demais. Ser gordinha tinha um lado bom, porque eu recebia a atenção deles, mesmo que fosse me cobrando para emagrecer. Era tudo misturado. Eu não podia ser quem eu era por não me achar boa ou interessante. Não sei se estou sendo clara, mas parece que algo se encaixou dentro de mim, que me preencheu. Essa menina está feliz agora e basta ela ser ela mesma — disse Amanda.

— Nós somos como aquelas bonecas russas que se encaixam umas nas outras — comentou Mike. — Aí dentro tem o bebezinho, a menininha, a menina, a moça, a jovem e a adulta que você é agora. Sua menininha passou por alguns momentos difíceis e hoje ela foi cuidada.

— Ela precisava disso e até hoje eu não tinha percebido direito essa falta. Falei algumas vezes disso na terapia, mas a menininha continuou desamparada dentro de mim.

— Agora você sabe que você mesma pode cuidar dela.

Uma lágrima de felicidade escorreu no rosto de Amanda ao ouvir essas palavras.

— Como eu posso agradecer? — perguntou ela, que só então se deu conta de que todos estavam chorando e fungando.

— Agradeça ao seu corpo e à sua consciência, que sabem o que fazem quando a gente não se mete no caminho pra atrapalhar. E eu lhe agradeço pela sua entrega.

Quando viu, Amanda estava de pé, perto demais de Mike para não o abraçar. Ele a acolheu um pouco de lado, com o braço por cima do ombro dela, como se abraçasse sua filha. Queria ficar uma hora ali com o rosto colado ao peito dele, bem mais do que os segundos que teve até achar que estava na hora se afastar.

Estava na hora do almoço, e Mike deu um novo texto para lerem no intervalo de duas horas que teriam.

Amanda foi com Paula para a habitual salinha, ainda sob o efeito do processamento. Era uma sensação muito boa, que não convidava à leitura. Bastava estar ali com ela mesma; isso já era suficiente para se sentir feliz. Paula falou algumas coisas, porém Amanda respondia com sons que nem eram palavras em si: "hummm", "ah" e "aham" — era tudo o que saía de modo espontâneo. Ela estava sendo verdadeira com o que o seu corpo e sua mente queriam.

Quando Paula terminou de ler o texto, para o qual ela nem havia olhado, as duas foram comer. Amanda estava com fome e conseguiu sentir cada um dos ingredientes da sopa: o conforto da batata, a leve acidez do alho-poró e o docinho perfumado da maçã. Só prestava atenção na colher entrando em sua boca, nos sabores na sua língua e no calor aquecendo seu peito ao engolir. Nada mais importava. Foi invadida pela imagem da pequena Amanda também tomando sopa, lambendo os lábios com a singeleza que só as crianças têm. A conversa dos outros era somente um som de fundo.

Quando deixou seu prato vazio na mesa e estava saindo da sala, Fernando chegou e lhe deu um abraço. Estava ainda absorta em si mesma, então não houve como escapar.

— Parabéns, seu processamento foi muito tocante — disse ele, enquanto ela se encolhia.

— Obrigada, Fernando. O seu também foi — falou, afastando-se devagar e seguindo adiante.

Pegou um chá e voltou para a salinha. Queria ficar lá sozinha para ler o texto. Respirou fundo.

Autenticidade e autoeficácia

Uma das características da primeira infância é a autenticidade. O sentimento gerado ao ganhar um sorriso de uma criança de um ou dois anos vale bem mais do que o de uma criança de oito, que já aprendeu a se conformar socialmente, que já foi domesticada a dizer "obrigado/a", como se o brilho dos olhos e o sorriso não fossem suficientes para agradecer um presente. São raras as pessoas que não perderam essa espontaneidade e, ainda assim, estão bem adaptadas à sociedade. A maioria de nós perdeu a autenticidade no processo de educação e adequação à sociedade. Ela pode, porém, ser reconquistada. De modo sutil, uma série de expectativas são projetadas sobre crianças e adolescentes. Uns se conformam a elas, outros se rebelam e tentam ser o oposto, sem perceber que ainda as têm como referência.

Ser autêntico significa conseguir expressar no comportamento o que está dentro de nós. A autenticidade requer a ousadia de ser quem realmente somos. Sem essa ousadia, tenderemos a sucumbir diante de barreiras e forças que tentam nos desviar da nossa coerência. Se elas fossem conscientes, seria mais fácil vencê-las, mas a maioria delas está tão automatizada que passou a ser nossa segunda natureza.

A emoção que defende nossa autenticidade é a raiva. Muitas pessoas se consideram sinceras quando, na verdade, são raivosas. A autenticidade calcada na raiva é a mais primitiva e tem seu valor, porém seu preço também é alto. Não à toa, pessoas assim são chamadas de "sincericidas".

Uma alternativa é calcar a autenticidade na autoeficácia, que é a capacidade de agir no mundo a partir da autoconfiança. O que a sustenta é a força de vontade, não a raiva.

O caminho para a autenticidade serena passa pelos outros pilares da autoestima. É preciso uma boa dose de autoaceitação para não ter de maquiar as imperfeições, autoempatia para se perdoar e se acolher quando se erra e autorrespeito para defender seu direito de ser o que é. À medida que esses pilares se fortalecem, a autoeficácia age a serviço do eu verdadeiro, mas também a ousadia tem um papel a desempenhar. É preciso acionar algo maior do que o medo para assumir a autenticidade e ver o que acontece. É o famoso "pagar pra ver". As apostas iniciais podem ser pequenas, em um ou outro evento ou em determinadas relações. Aos poucos, começamos a confiar em podermos nos mostrar como somos e a criar o hábito de sermos coerentes e genuínos nas nossas ações.

Quem estava acostumado com a versão em que usamos uma máscara social pesada poderá estranhar. Alguns não percebem a diferença, ou percebem e se ajustam a ela naturalmente. Outros vão cobrar coerência com o que sempre fomos. Essas são as relações que nos desafiam e forçam o rio a voltar para seu leito anterior. É normal fraquejarmos, não precisamos nos punir por isso. Podemos voltar e tentar novamente, até que nossa versão autêntica ganhe mais espaço dentro e fora de nós. É uma caminhada com percalços, mas a direção importa mais do que a velocidade.

Como associamos intuitivamente a autenticidade à raiva, podemos achar que, ao sermos genuínos, nos tornamos insensíveis e teimosos. Uma coisa nada tem a ver com a outra. Vamos, sim, deixar de precisar agradar para sermos aceitos. Ao mesmo tempo, passaremos a ser empáticos e mais amorosos. O ponto de referência será o coração, não o dever nem as expectativas que carregamos ou a educação.

Em função dessa mudança, algumas relações vão se transformar, outras serão criadas e certamente outras ainda serão perdidas. Todo remédio tem seus efeitos colaterais; no entanto, as doenças apresentam sintomas. Cabe a nós escolher entre o remédio e a doença.

Como falei de crianças no começo, vou terminar com elas. Todos nós já fomos crianças, portanto, autênticos. A volta à autenticidade pode se dar ao entrarmos em contato com a criança que trazemos dentro de nós. Ela continua lá. Podemos buscá-la, cultivá-la, valorizá-la, cuidar dela. Não teremos mais sua ingenuidade, mas isso pode ser bom. Afinal, a maturidade é fundamental na vida adulta. Essa combinação reúne o melhor das partes: a autenticidade e a alegria da criança com a maturidade e a responsabilidade do adulto autoeficaz. Não se trata de uma contradição. São aspectos que se complementam.

Mike

∞

Amanda teve a sensação de que aquelas palavras estavam ressoando em seu peito. Era como se tivessem sido escritas para ela naquele exato momento. Ela havia acabado de entrar em contato com sua criança e não estava disposta a abandoná-la tão cedo.

Naturalmente, começou a meditar, sentindo seu corpo e acarinhando sua menina interior, até notar que ainda havia algo de que sentia falta. Como se fosse a última peça do quebra-cabeça. Não conseguia saber o que era. Para completar, Fernando passou em frente à salinha e lançou um olhar que a desconcertou. Quando começou a investigar mais profundamente em seu corpo atrás de respostas, Mike os chamou para reiniciar as atividades.

Quando todos estavam sentados, Mike perguntou se havia algum questionamento até ali, algum tópico que gostariam de discutir mais a fundo.

— Eu fiquei com uma dúvida — disse Alberto. — Achei interessante você ressaltar no texto como a raiva pode promover a autenticidade. Sempre considerei a raiva uma emoção negativa.

— Interessante. Quais são as emoções negativas pra vocês?

— Tristeza, raiva.

— Mágoa.

— Medo, ansiedade.

— Frustração.

— Vergonha, culpa.

— Ok, já temos o suficiente — disse Mike. — Vou dizer a vocês o que um mestre me ensinou em um retiro muitos anos atrás e que foi bastante útil pra mim. E se eu dissesse pra vocês que não existem emoções negativas?

Ficaram todos em silêncio, até Carol não se aguentar e dizer:

— Como assim?! Todo mundo já sentiu essas emoções, e elas são muito ruins.

— A dor é ruim? — perguntou Mike, olhando fixamente para ela.

— É. Quem é que gosta de sentir dor? — respondeu ela. — Tirando os masoquistas.

— Você gostaria de perder a sensibilidade à dor?

— Peraí, deixa eu ver — disse ela, com a mão no queixo, olhando para cima. — Tá, entendi. Você está querendo dizer que a dor nos protege, é isso?

— Sim. Amanda, nossa endocrinologista, o que acontece com um paciente com diabetes avançada em relação à dor?

Um pouco distraída, ainda buscando identificar o que faltava para sua menina, Amanda levou um susto ao ser questionada diretamente, mas não hesitou.

— Eles perdem a sensibilidade à dor, o que é um grande problema. Não conseguem nem dizer se um sapato é confortável ou não, se há alguma pedrinha gerando alguma lesão. Quando vão ver, já estão com uma ferida e, ainda por cima, têm problemas de cicatrização. Até o infarto do miocárdio, que é muito doloroso, pode ser silencioso em diabéticos e, por isso, o diagnóstico é demorado. Não tenho dúvidas de que é ruim não sentir dor.

— Então, se é ruim não sentir dor, a dor é boa para nós, pode ser nossa aliada, certo?

Ninguém ousou questionar Mike, que continuou:

— A dor e essas emoções chamadas de negativas são, na essência, positivas, favoráveis para nós, mas desagradáveis. Existe uma enorme diferença entre ser desagradável e ser negativo. A evolução, ao longo de bilhões de anos, não aconteceu visando à nossa felicidade, e sim à nossa adaptação — disse ele, fazendo uma pausa. — Adaptação ao meio.

— E como fica para quem acredita que Deus criou tudo? — provocou Paula.

— Basta se perguntar sobre os motivos de Deus ter criado essas emoções e sensações desagradáveis. A mesma coisa para quem acredita na evolução com um dedo de Deus para promovê-la, independentemente do conceito que se tenha de divindade.

Fernando só assentiu com a cabeça. Tânia questionou:

— Podemos ver para que serve cada uma dessas emoções de que falamos?

— Claro, mas adianto que todos vocês sabem muitas dessas respostas. Vamos lá. Para que serve a raiva?

— Pra autodefesa, conquistar território — respondeu Fernando, que continuou: — Pra defender os filhos e, como estava no texto, pra ser sincero.

— O medo é fácil demais: é uma reação de defesa que visa a preservar nossa integridade. E a tristeza?

Depois de alguns segundos, Paula deu sua opinião.

— Pra nos dizer o que não foi bom, como a dor.

— E o que mais? — insistiu Mike.

Amanda lembrou-se da tristeza que foi sua companheira ao longo do último ano, que a impediu de voltar a ficar com Carlos, mesmo quando ele a procurou de novo.

— Pra gente saber o que não serve mais pra nós.

— É por aí — disse Mike. — Ela promove a reflexão e a introspecção e nos torna capazes de desistir de algo, de nos desligarmos, de deixar no passado. O luto é um bom exemplo. Um luto não chorado nos deixa presos de maneira ruim à pessoa amada. O que acontece com alguém que é dono de um negócio que não tem como dar certo, mas que nega sua tristeza?

— Não desiste nunca, o negócio vai pro brejo e leva o dono junto — disse Alberto.

— Exatamente. Mágoa?

— Pra saber quem nos machuca e ficarmos longe — disse Tânia.

— Ou pra sinalizar que alguma coisa naquela relação está desajustada e precisando melhorar — disse Alberto.

— Ótimo. Ansiedade também é fácil, pois é o que nos prepara para algo ruim que pode acontecer. O problema é quando ela acontece a toda hora, sem motivos claros. Mas isso é material pra outro seminário inteiro! E a frustração?

Novo silêncio na sala.

— Eu me sentia frustrada demais — disse Tânia —, até que parei de ter expectativas tão grandes em relação aos outros.

— Então serve para quê, Tânia?

— Para a gente se manter na realidade, não ter expectativas irrealistas, não esperar coisas que não existem, mudar de rumos, tudo isso.

— Muito bom. Já vimos que a culpa sinaliza o que fizemos de errado e nos leva a corrigir aquele comportamento. E a vergonha? Devo dizer que eu discordo da Brené Brown, pra quem a vergonha é algo ruim.

— Sem vergonha não existiria moral — disse Alberto.

— Concordo com você. Ela zela por nosso comportamento em grupo, assim como a culpa, e ambas em excesso atrapalham. Psicopatas têm pouca vergonha e culpa. Estamos resolvidos nessa diferença entre uma emoção ser negativa ou desagradável?

— Pensei aqui com meus botões que as positivas também podem ser danosas... — disse Amanda, provocando alguns olhares surpresos.

— Muito bem, Amanda. Continue — estimulou Mike.

— Os vícios são ruins, mas se apoiam numa sensação agradável, mesmo que passageira. Assim como existem falsos amigos que nos tratam bem e, ainda assim, nos passam a perna. Já as emoções desagradáveis poderiam ser comparadas com amigos que nos dizem o que não queremos ouvir, que são raros. Faz sentido?

Todos concordaram com ela, mas Amanda percebeu que aquilo não a deixara lisonjeada. Parecia que o valor da aprovação tinha perdido a força.

— Ótimo, Amanda. Então, percebam que as emoções fazem parte de um sistema bastante complexo e automático pra nos adaptarmos aos contextos, ao ambiente. Mas esse sistema se desregula algumas vezes, principalmente em função de adversidades que não soubemos processar. Aliás, uma coisa fundamental dos processamentos de memórias é deixar esse sistema desempenhar sua função dentro da gente. Isso envolve sensações, emoções, imagens mentais, pensamentos... Quando tentamos consolar alguém dizendo "não chore", "não fique triste", estamos tirando a legitimidade desse processo natural e inibindo esse mecanismo saudável, ainda que a gente não se dê conta disso.

— Não é à toa que estamos em uma sociedade tão doente — disse Alberto. — Pra nós, homens, é muito difícil sentir medo, tristeza, impotência, fraqueza... Ou melhor, sentir a gente sente, mas expressar esses sentimentos é que é o problema.

— Qual é a emoção desagradável que é respeitada e legitimada em homens? — provocou Mike.

— A raiva — disse Amanda, sem pestanejar. Mike sinalizou com a cabeça para ela falar mais. — Talvez isso tenha a ver com o fato de muitos homens serem violentos com as esposas e beberem, já que desde pequenos não são autorizados a deixar outras emoções desagradáveis cumprirem seu papel.

Mike a mirou com seus olhos ternos e disse:

— Nem todas as mulheres se permitem esse olhar empático sobre os homens. Infelizmente, os homens pouco reconhecem o mal que o machismo causa tanto a eles como às mulheres.

— Tratei de muitos homens com alcoolismo no hospital e, no começo, investigava os detalhes de suas histórias de vida, que eram bem difíceis — lembrou Amanda. — Depois de um tempo, passei a fazer de modo mais superficial as histórias pregressas, como chamamos na medicina. Só para me poupar emocionalmente. Deve fazer parte do modo de autoproteção recorrer ao álcool e a algumas drogas...

— Nós, homens, temos a fraqueza como sombra. Por isso o desejo constante de ser forte e poderoso. Pedir ajuda significa escapar dessa armadilha, se reconhecer impotente diante de alguma questão da vida. Essa é uma das razões pelas quais o suicídio é, em média, três vezes maior entre os homens do que entre as mulheres. Muitas vezes o gatilho para se matar é quando o homem deixa de ser forte, poderoso ou capaz de dar sustento à sua família — emendou Mike.

— Reconhecer qualquer coisa parece cada vez mais raro — disse Paula. — É mais fácil reclamar do que olhar para o próprio umbigo. Hoje qualquer um reclama de tudo e de todos, se sente nesse direito e tem as redes sociais para alvejar e se esconder. Mike, o que aconteceria se, de repente, todo mundo entrasse no modo de autoconhecimento?

Mike olhou para ela e levantou os ombros.

— É difícil de imaginar isso acontecendo... No entanto, já presenciei mudanças importantes em setores de empresas com mau desempenho e que investiram no nosso trabalho.

— Como *coach*? — perguntou Paula.

— Mais ou menos. O *coach* busca aumentar a produtividade do seu cliente. Nós focamos em torná-lo mais saudável, uma pessoa mais evoluída, com menos pontos cegos e sensíveis, capaz de se assumir como imperfeito, porém responsável pelos seus atos. As empresas investem em feedback, mas nem sempre preparam as pessoas emocionalmente para recebê-los. Também entramos em questões pessoais e usamos uma série de técnicas para torná-las mais abertas e conscientes. Em alguns grupos, o resultado foi extraordinário. Em outros, nem tanto. Mudanças profundas geram resistências fortes. Mas isso tem a ver com a sua pergunta. Quando todos do setor compram a ideia e se entregam ao processo, a mágica acontece, como uma espécie de pacto pelo autoconhecimento. Só que é necessário um bom respaldo da empresa e de seus líderes.

— E a produtividade?

— No começo, muda pouco. Com o passar das semanas e dos meses, a consistência é maior. É o oposto do que acontece quando fazem atividades puramente motivacionais. Em geral, é mais fácil trabalhar com quem reconhece que pode melhorar e procura ajuda espontaneamente, como é o caso de vocês. Aliás, está na hora de uma nova sessão de processamento comigo. Ainda temos a Tânia e a Carol. Alguma de vocês se habilita?

— Precisa ser na frente de todo mundo? — Carol quis saber.

— Não. É uma experiência ainda mais intensa e transformadora quando feita junto a um grupo como o nosso, mas podemos fazer sozinhos.

— Mike, eu quero hoje. Posso? — perguntou Tânia.

— Claro — disse ele, já posicionando as cadeiras no meio da sala.

Quando se sentaram, Mike olhou para ela e esperou.

— Preciso resolver as coisas com a minha mãe.

— Antes, eu gostaria de avisar que seu processamento pode ser muito intenso, pelo que já percebi. Posso usar uma técnica mais suave ou uma mais direta, que provoca mais. O que você sente que será melhor?

— A mais direta.

— Certo. Você tem algum problema vascular ou no coração?

— Nossa! Não, estou ótima.

— Então, vamos lá. Apertem os cintos! — disse ele.

Tânia colocou os fones de ouvido, e ele pegou sua varinha de metal.

— Conte-nos um pouco sobre você e sua mãe.

— Sempre tivemos uma relação muito ruim. Ela me tratava mal, me ofendia, cobrava demais de mim e nunca, nunca me valorizava.

— Desde quando?

— Desde que eu me conheço por gente.

— Vamos entrar em contato com essa mãe, então. Com os olhos da mente, traga a imagem dela e note como isso reflete no seu corpo.

A expressão de Tânia mudou imediatamente. Franziu o cenho e direcionou o olhar para a esquerda. Mike posicionou sua ponteira para onde ela estava olhando e pediu sua ajuda para acertar o ponto exato. Lentamente, ele aproximou a ponta da varinha do rosto dela, cuidando para acertar o ângulo de visão a fim de que ela não mexesse os olhos. A expressão de Tânia era de terror.

— É só observar e deixar acontecer — disse ele, calmamente.

Depois, Mike afastou a ponteira devagar, no mesmo ângulo de visão dela, até seu braço ficar todo estendido para trás. Tânia afundou na cadeira e colocou a mão na barriga.

— Meu Deus, o que está acontecendo? — perguntou ela, sem tirar o olho da ponteira.

— Fique atenta a seu corpo, e vamos prosseguir com isso — respondeu ele, como se nada de mais estivesse acontecendo.

Tânia desceu seu corpo ainda mais na cadeira e começou a gritar.

— Meu Deus, meu Deus, tem um monstro dentro da minha barriga! Tem um monstro na minha barriga!

— Mantenha o olhar assim, eu vou recolher a ponteira — disse ele, deixando a ponteira de lado.

Ela fincou a ponta dos pés no chão e começou a tremer, quase caindo da cadeira. Mike se aproximou e a segurou nos joelhos. Todos estavam assustados com a reação de Tânia, menos Mike.

— Deixe acontecer, Tânia — disse ele.

— Eu vou parir, eu vou parir! Meu Deus! Vai me arrebentar! Aaaaai!

Mike se manteve na posição para ela não cair. O corpo dela estava arqueado e se contorcia todo. Tânia bufou, gemeu por poucos minutos e, depois de uma forte contração, gritou:

— O monstro é minha mãe!

Amanda ficou assustada com o que havia presenciado. Teve medo de algo sair muito errado. Logo Tânia relaxou completamente, e seus braços caíram ao lado do corpo. Amanda se aproximou, preocupada, mas viu o rosto dela sereno.

— Está tudo bem, passou — disse Mike enquanto mantinha sua mão no joelho dela.

Ela se recompôs devagar e se sentou.

— Nossa, o que foi isso? Posso me deitar um pouco?

— Claro — respondeu Mike.

Paula e Amanda logo lhe deram lugar no sofá. Ele a ajudou a tirar os fones de ouvido e a se deitar. Ficou ali como um saco de cimento, com Mike de joelhos ao seu lado. Ela estava com o olhar parado no teto. De repente, a expressão de Tânia perdeu a serenidade.

— Mantenha o olhar bem nesse ponto para o qual você está olhando, Tânia.

Tânia começou a balançar a cabeça devagar e disse:

— Vão me matar.

— Continue com isso... — disse Mike, com a mesma tranquilidade com que se pede café na padaria.

— Querem me matar. Vão me matar! Vão me matar! — gritou ela, novamente, sacudindo o corpo inteiro sem parar.

— Eu estou aqui com você — disse ele, colocando a mão no peito dela.

Ela respirava de modo frenético, mas conseguiu se acalmar depois de alguns minutos.

— Eu estou aqui com você — repetiu ele.

Quando ela estava totalmente calma e de olhos fechados, Tânia falou, baixinho, com um leve sorriso nos lábios:

— Você bem que me avisou.

Todos riram e se aliviaram. Tânia abriu os olhos e viu Mike a seu lado, segurando sua mão. Permaneceram assim por alguns segundos. Amanda não conseguia pensar em nada. Só testemunhava aquele momento através dos sentimentos. Estavam todos impactados, inclusive Mike.

— Pode ficar deitada o tempo que quiser — disse ele.

— Que sensação maravilhosa... Meu Deeeus! — ela comentou e se ergueu até sentar. — Gente, o que é isso?

Tânia começou a gargalhar. Por um segundo, Amanda achou que ela estava louca; contudo, seu rosto estava radiante.

— Uma paulada de processamento, seguida de êxtase — disse Mike, rindo. — Hora do café!

Amanda ainda estava chocada com o que tinha visto. Ali, na frente dela, estava Tânia, cheia de energia depois de quase entrar em colapso. Felizmente estava tudo bem, mas reconheceu que Mike fora cauteloso ao questionar Tânia sobre sua condição clínica. Mesmo assim, ele foi ousado, e o efeito parecia surreal. Parecia um médico intensivista que ela conhecia do local em que fazia pronto atendimento. Ele era certeiro no diagnóstico, calmo e preciso na intervenção. Depois de alguns cumprimentos à Tânia e de comentários redundantes sobre seu processamento, todos voltaram a se sentar.

Tânia puxou o assunto.

— Mike, agora me explique o que aconteceu.

— Acredito que você tenha feito um processamento extremamente profundo e, provavelmente, de uma fase muito inicial de sua vida. Mas eu fui só o facilitador, é você que pode nos contar melhor.

— Foi uma viagem difícil de descrever. Minha barriga começou a doer, percebi aquele monstro crescendo e saindo de mim e, quando fui vasculhar o que era, vi a minha mãe. Depois, já no sofá, me senti terrivelmente ameaçada, sem saber de onde vinha essa ameaça. Era só uma sensação, não via nada — disse ela, pensativa.

— Você descobriu o que foi isso?

— Minha vó me contou que minha mãe tentou me abortar. É a única explicação que me vem à cabeça agora. Mas é possível processar alguma coisa na barriga da mãe?

— Não é fácil ter uma prova definitiva para uma pergunta como essa, mas acredito que sim, como foi seu caso, embora isso não ocorra com todas as pessoas. Posso lhe fazer uma pergunta indiscreta?

— Pode. O que acontece em Dornoch fica em Dornoch, certo?

— Com certeza. Você tem facilidade em ter orgasmos? Pode ter vários numa só relação?

— Vixe, como é que você sabe uma coisa dessas?

— Você já tinha dado uma boa pista ontem no bar, mas é só uma observação da prática clínica. Acho que, de alguma forma, a energia que flui no corpo no orgasmo tem a ver com a intensidade e a velocidade de processamento. Enfim, só uma curiosidade. Uma em cem ou duzentas pessoas tem processamentos tão intensos como você. Quando você pensa na sua mãe agora, como é?

Tânia fechou os olhos e sorriu.

— Nossa, nem parece a mesma mãe. Acho que sou até capaz de me relacionar decentemente com ela.

— E tudo isso foi em menos de meia hora — disse Fernando.

— É um caso fora da curva, de exceção, mas eventualmente acontece. Agora é hora da Tânia e da Amanda descansarem e de nós fazermos o processamento de grupo com os áudios. Nos vemos no jantar.

Ao sair, Amanda não conseguiu evitar o olhar de Fernando.

Tânia e Amanda subiram juntas para seus quartos. Apesar de quererem conversar sobre o que haviam experimentado, logo chegaram à conclusão de que o melhor mesmo seria descansar.

Assim que chegou ao quarto, Amanda abriu a torneira da banheira. Despiu-se e logo entrou para sentir a água subir lentamente pelo corpo. *As sensações estão mais nítidas*, pensou, *como se pudesse haver nitidez no tato*. Sentia também algo da intensidade de Tânia e de seu processamento bombástico. Aquilo havia sido incrível, e cada vez mais ela se perguntava por que técnicas como aquelas com que estavam entrando em contato eram tão pouco difundidas. Ficou divagando sobre os efeitos hormonais daquele processo. Já tinha observado muitos pacientes que engordaram depois de vivenciarem traumas. Era bastante comum os pacientes diabéticos subirem seus níveis de glicose, já que os hormônios do estresse agiam de modo contrário à insulina. O que aconteceria se esses pacientes fizessem o processamento desses traumas? Guardou essa pergunta para Mike.

Deixou um fio de água quente correr para manter a temperatura. O barulhinho da água que saía pelo ladrão também era reconfortante. Não demoraria para pegar no sono, mas começou a se lembrar do seu processamento. De suas carências e de como a comida a preenchia. De como engordar também havia lhe proporcionado alguma atenção de seus pais. Pensando bem, recordou que, depois de rodar nos vestibulares, descontava a frustração na comida e no mês seguinte entrava em dieta para voltar ao peso. Estava curiosa para investigar esse tipo de situação nos seus pacientes quando retomasse o trabalho.

O mais espantoso havia sido se ver como bebê. Já não tinha dúvidas de que memórias precoces podiam ser acessadas. Afinal, o corpo era o mesmo e não havia razão para esses registros se perderem. O que a intrigava era poder acessá-los por intermédio da sensação corporal e, ainda por cima, resolver os nós de um passado tão remoto. Tinha alguma dúvida em relação às imagens que vieram à sua mente no colo da sua avó. Havia uma boa chance de serem produto da sua imaginação; no entanto, na prática, isso não fazia diferença, porque para ela a situação tinha sido totalmente real.

Sua maior angústia agora era saber que ainda existia algo importante sobre si mesma que desconhecia. Desconfiava que tinha algo a ver com Fernando. Reconhecia o efeito que ele causava nela. Parecia atração, mas não era exatamente isso. Ele estava bem mais natural, humano. Olhava para ela sem a arrogância de antes. Por outro lado, não estava disposta a se envolver com alguém que morava longe e que ainda estava enrolado com a mulher ou ex-mulher. Só esperava que os dois dias que faltavam para o seminário terminar fossem suficientes para descobrir o que era. Deslizou um pouco mais na banheira e moveu sua cabeça até seus ouvidos ficarem cobertos pela água. *Parece um útero*, pensou, ouvindo somente o som da sua respiração embaixo d'água. Reparou que, com essa imersão, seus pensamentos desapareceram.

Quando acordou, já era noite escura, quase sete horas. Amanda se arrumou e desceu com calma. Mike estava conversando com Paula no bar e a recepcionou.

— O cheiro está bom, mas é diferente. O que vamos comer hoje? — Amanda quis saber.

— Surpresas da dona Emily. Vamos lá dar uma espiada enquanto os outros não chegam? — convidou Mike.

Paula e Amanda pularam feito duas crianças. Mike foi na frente. Passaram pelo saguão, e ele abriu a porta da cozinha para as duas passarem. Era ampla e com muitos utensílios pendurados desordenadamente. Emily mexia uma grande panela e levou um susto quando os viu. Mike se desculpou, os três se aproximaram, e a cozinheira começou a explicar o que estava preparando. Amanda prestava atenção e entendeu o básico, auxiliada pelo que estava vendo à sua frente. Era um tipo de sopa que levava batata, cebola, leite e algo defumado. Emily disse o nome, e Mike repetiu para que entendessem.

— Chama-se *cullen skink*.

— O que é o defumado? — perguntou Amanda.

— Hadoque.

Já haviam tomado sopa de batata no almoço. Amanda comentou isso com Mike, que respondeu que a batata era a base de muitos pratos escoceses. Ainda havia outro prato com batata, caso alguém não gostasse da sopa, disse, apontando para uma frigideira. Emily percebeu e disse o nome do prato: *rumbledethumps*. Era um tipo de fritada de purê de batata e repolho.

— Ela põe um baconzinho pra dar uma levantada — disse Mike.

— Adoro batata — disse Paula.

Amanda resolveu dar um tempo em seu lado endocrinologista diante de tanta batata. Emily parecia feliz com a visita surpresa e deu a entender que estava pronta para servir. Mike chamou as duas para a sala de jantar.

— A Emily está sempre nesse astral? — perguntou.

— Quase sempre. É uma mulher bem-resolvida, que faz tudo sozinha, sem ajuda de ninguém, como vocês viram.

Uma mistura de admiração com uma pitada de inveja deu sinal no seu peito. O que mais chamou sua atenção, no entanto, foi a percepção imediata de seu corpo. Enquanto ainda pensava nisso, entraram na sala e encontraram Fernando, Alberto e Tânia.

— Ah, estavam bisbilhotando a cozinha... — disse Tânia.

— Já vamos comer — disse Mike. — E a Carol?

— Não a vimos — respondeu Alberto, dando de ombros.

— Vou pedir para o David chamá-la. Já são vinte para as oito, e amanhã vamos viajar.

Mike saiu por um instante. Olhando para Amanda, Fernando comentou que Mike era rigoroso com os horários. Ela não respondeu nada, e Mike logo reapareceu, chamando todos para a mesa. Emily estava chegando com o prato de sopa decorado com xadrez vermelho na lateral.

— Esse padrão de cores está em tudo, até na sopeira — reparou Alberto, tomando a iniciativa de se servir.

— É batata também, hoje é o festival da batata — emendou Amanda.

Carol logo apareceu e se sentou enquanto ainda não haviam começado. Amanda reconheceu que o gosto e a textura da sopa não tinham nada a ver com a servida no almoço. Nunca havia comido hadoque defumado.

A conversa foi sobre comida até experimentarem a fritada, que chegou logo depois.

Amanda estava curiosa sobre a viagem e perguntou a Mike, que informou:

— Amanhã vamos fazer uma viagem ao lago Ness. Sairemos às oito e meia na mesma van que nos levou ao pub ontem. Devemos chegar ao Highland Club por volta das dez horas.

— Alguma chance de vermos o monstro do lago? — brincou Fernando.

— O do lago, não sei. Mas a ideia é nos encontrarmos com eles, assim como fez a Tânia hoje à tarde.

— Ai, meu Deus, não sei se aguento parir outro monstro amanhã, Mike! — disse ela, para o riso de todos, menos de Amanda, que estava um pouco apreensiva.

— No seu caso, acho que o monstro maior já está liquidado, mas pode haver outros — disse ele, dando uma piscada para Tânia.

— Como é essa história do monstro do lago Ness, afinal? — perguntou Carol.

— Amanhã no caminho vocês vão saber. Ah, importante: levem seus aparelhos de MP3 na viagem.

A sobremesa de morangos com creme seguida de chá de rooibos com baunilha fechou o jantar. Amanda estava se preparando para escapar de qualquer movimento de Fernando, mas não houve necessidade. Ele e Carol subiram na frente envolvidos em uma conversa sobre algo que Amanda não identificou. O que ela viu foi Carol encostar de leve no braço dele duas vezes quando enfatizava alguma parte da história. Amanda entendeu no mesmo instante que aquilo era um sinal de interesse da parte de Carol. Era para ser um alívio, não fosse pelo desconforto no peito ao presenciar aquela cena.

Amanda não conseguia dormir. Então, decidiu ler e reler o material passado por Mike. Autorrespeito, autoaceitação e autenticidade voltaram a gravitar em sua mente, entremeados com imagens e sensações do seu processamento pela manhã. A imagem de Carol com Fernando voltou à sua mente, e ela resolveu investigá-la. Prestou atenção em seu peito. Deu-se conta de que era um sentimento conhecido. Solidão. *Que seja, então*, pensou. Agarrou-se num travesseiro e virou de lado, sem fazer força para se livrar dela. Lembrou que fazia isso com um urso de pelúcia que ganhara da avó. Sinal de que esse sentimento não era exatamente novo.

Pressentia que Mike aprontaria alguma coisa na viagem ao lago Ness. Independentemente do que fosse, ela se deixaria conduzir por ele. *É muito bom poder confiar em um homem*, concluiu. Isso confortou seu peito enquanto o sono não chegava.

DIA CINCO

mergulho

ERAM OITO HORAS, e todos já estavam no café. Amanda foi até a cozinha dar bom-dia para Emily e pedir seu mingau.

— *Good morning, Emily! Can I have some porridge, please?*

Gostava daquele jeito organizadamente bagunçado como ela deslizava entre panelas, pratos e utensílios. Como em um passe de mágica, surgiu sua tigela de mingau quentinho. Paula apareceu logo atrás com a dela, pedindo para repetir. Revirou os olhos em êxtase, com uma mão no peito e a outra oferecendo o pote para Emily renovar sua porção. As duas saíram comendo pelo caminho.

— Parecemos duas crianças — disse Paula.

— Acho que *somos* duas crianças neste momento — disse Amanda.

Mike deu risada quando chegaram à mesa. Não disse nada, não precisava mesmo. Diante dele, havia um prato fundo sem vestígios de mingau. Amanda deixou de lado a educação e raspou tudo. Sentia a presença de Mike, o sabor adocicado do mingau que desceu aquecendo seu peito. Parecia tão pouco, mas foi um dos momentos mais felizes de sua vida nos últimos tempos.

Às oito e meia em ponto Mike chamou todos para entrarem na van. O caminho da porta do castelo até a van não passava de cinco metros, mas foi o suficiente para sentir o baque do frio matinal do inverno escocês. O sol ainda estava por raiar. Lá estava John, o mesmo motorista da noite no pub. Amanda e Tânia sentaram-se nos bancos da frente. Atrás delas, Alberto e Paula; no fundo, Carol e Fernando. Mike estava ao lado de John, e Amanda, atrás de Mike, que ocupava a posição que deveria ser do motorista, não fosse pela mão invertida da Grã-Bretanha.

Assim que John deu a partida, Mike ligou o monitor pendurado no teto da van, logo atrás dele. Amanda nem tinha percebido aquela tela antes. Começou a passar um documentário do History Channel, com relatos de pessoas que garantiam ter visto uma criatura com um longo pescoço saindo das águas do lago Ness. O documentário seguiu com investigações de pesquisadores munidos de alta tecnologia para encontrar a tal criatura: sonares, peixes com câmeras, análises de fotos e vídeos com imagens um tanto borradas. Além disso, imagens de satélite indicavam que o lago teve uma ligação com o mar catorze mil anos atrás, a mesma idade de uma inesperada concha marinha encontrada no lago. A suspeita era de que uma espécie de plesiossauro marinho teria migrado para lá e conseguido sobreviver até os dias de hoje ou até poucos anos antes, pelo menos. Ou seja, tratava-se de um parente de dinossauro extinto sessenta milhões de anos atrás. Uma parte da investigação focava em restos no fundo do lago com aparência semelhante à do pleisiossauro e em um material orgânico parcialmente decomposto. A possível carcaça da tal criatura não foi confirmada com a análise do material coletado.

O dia sem nuvens revelava a dureza do inverno. Amanda estava dividida entre ver a paisagem da sua janela e o documentário. Logo que o vídeo acabou, entraram em Inverness. Mike colocou outro vídeo, dessa vez com um histórico das imagens já captadas do dito monstro desde 1930. Dois vídeos recentes gravados por amadores davam realmente a impressão de que algo se mexia no lago, algo grande, mas nada de monstro pescoçudo. O que mais chamou a atenção dela foi o tamanho e a beleza do lugar. Mike finalmente falou:

— *Ladies and gentlemen*, o lago Ness, ou, como eles falam por aqui, *Loch Ness* — disse ele, apontando pela janela. — Vamos cruzá-lo de ponta a ponta nos próximos quarenta e cinco minutos. Se virem algum movimento suspeito nas águas do lago, avisem.

Depois de um riso breve de todos, completou:

— São poucos os privilegiados que se encontram com o monstro, mas não se preocupem: ao contrário dos monstros que trazemos dentro de nós, que atacam com frequência sem percebermos, não há relatos de ataques por aqui.

O lago era realmente lindo, com a água escura espelhando a luz da manhã, em contraste com as colinas em toda sua extensão. Amanda não levava a sério o monstro do lago, porém estava hipnotizada com a vista. Da sua janela, era como se assistisse a um filme sem enredo. Como iam para o sul e pelo lado direito da estrada, nada obstruía sua visão, salvo alguns arbustos à margem do lago. O som suave da van rodando e o cheiro do couro do banco a puseram em um estado quase meditativo.

— Como fazemos para encontrar nossos monstros, Mike? — perguntou Paula.

— Essa é a questão. É mais ou menos como nos policiais da Agatha Christie. O assassino nunca é um dos suspeitos óbvios.

Mike silenciou, e não se ouviu mais nada no interior da van por uma boa meia hora. Amanda não sabia nem por onde começar sua investigação. Sabia que tinha um monstro, ou mais de um, submerso na sua história, porém não tinha sonar, satélite nem barquinhos com câmeras acopladas com que contar. A confiança em Mike era a única coisa que trazia com ela, e esperava não se afogar nem ser engolida.

Depois de mais alguns minutos, Mike rodou um último vídeo e voltou a falar.

— Estamos chegando a Fort Augustus, na ponta sul do lago. Como podem ver nesse vídeo, parece ter algo grande se movimentando na água bem nessa área. Alguns consideram essa filmagem a melhor evidência de que ainda existe algum tipo de animal desconhecido por aqui.

Passaram, então, por uma ponte sobre um canal e John virou à esquerda, em direção ao lago. Logo se defrontaram com um portão preto que destacava um brasão com espadas cruzadas e um corvo no topo, sob o qual as palavras *The Highland Club* reluziam em letras douradas.

— Chegamos — disse Mike. — Aqui funcionava um monastério que virou uma mistura de clube com hotel. São quase cem quartos!

Eram dez horas de uma manhã ensolarada. Mike saltou da van e falou com o porteiro. O portão foi aberto, e John continuou, enquanto Mike caminhava ao lado da van. Várias construções antigas de pedras cinzentas com janelas verticais estreitas acabavam em forma de ponta. Ao lado, havia uma abadia imponente de quatro andares, cercada por gramados e árvores à beira do lago.

Entraram em uma pequena casa e atravessaram o corredor até a recepção. Mike falou alguma coisa com a recepcionista, recebeu uma chave e logo fez sinal para todos o seguirem. Chegaram a uma espécie de sala de jogos com um estilo exótico e rústico ao mesmo tempo, resultante do tapete roxo, das paredes revestidas de madeira à meia altura pintadas de vermelho até o teto e dos vitrais coloridos. Passaram ao largo da enorme mesa de sinuca e foram para o sofá vermelho ladeado por poltronas quadriculadas. Uma mesa de centro os esperava com chá acompanhado de *shortbreads*, tradicionais biscoitos amanteigados, que podiam ser mergulhados no creme de limão. Sentaram-se para ouvir Mike.

— Em 1729, construíram aqui o Fort Augustus, que mais tarde foi transformado em um mosteiro em estilo gótico. Daqui a pouco faremos a primeira sessão de processamento, mas desta vez vai ser um pouco diferente. Nosso objetivo será encontrar o que precisamos resolver, mas está escondido. Depois do chá, vamos para uma sala própria pra isso e lá vamos iniciar o processamento, certo?

Embora Amanda achasse o próximo passo do processamento misterioso, estava gostando muito de ver um pouco da paisagem da Escócia. O mosteiro era lindo e aconchegante. Carregava séculos de história de guerra e religiosidade, além do mito do lago e de sua natureza exuberante.

O biscoito adocicado compensava a acidez do creme de limão e convidava a mais um gole de chá quente. Amanda aproveitou os poucos minutos daquele ritual de preparação.

Quando acabaram, Mike foi o primeiro a sair da sala de jogos e se dirigiu a um corredor de vinte metros de largura, com arcos de pedra no teto, santos esculpidos na parede e janelões à direita que proporcionavam uma bela vista para o jardim central. Ao fim, subiram dois andares de uma escada de lajota bege. Mike abriu a porta com a chave e esperou no corredor até que todos entrassem.

Era uma sala com seis janelas verticais altas e estreitas distribuídas ao longo de uma parede grossa. Em frente a cada janela, havia uma pequena poltrona de tecido verde.

— Por favor, tomem seus lugares.

Amanda caminhou até a última poltrona, sentindo o piso de madeira escura ranger embaixo dos seus pés. Pegou a pequena almofada nas mãos e afundou ao sentar-se, sentindo-se abraçada e segura. Começou a observar através da pequena janela a vista deslumbrante do lago e das colinas.

— Muito bem, coloquem os fones e toquem o áudio "Janelas da Alma".

Mike andava devagar, de um lado para o outro, com as mãos nas costas.

— Agora avancem para o minuto seis e sintam o som das águas se alternando entre um ouvido e outro. Só isso.

Amanda estava seguindo bem até ali, sentindo-se cada vez mais conectada com seu corpo.

— Agora é hora de investigar a nossa sombra. Para Carl Jung, a sombra é parecida com o inconsciente de Freud: é um lugar pantanoso onde se escondem alguns dos nossos segredos mais importantes. Para encontrá-los, precisamos mergulhar fundo, com calma e sem medo. Preparem-se para uma imersão total dentro de vocês. Respirem fundo... Relaxem a mente, deixem o controle e o pensamento de lado. Agora imaginem um pântano à sua frente e percebam como ele é. A água é viscosa, mas vocês vão se acostumar a ela. Lentamente, entrem nesse pântano. Mergulhem e esperem para ver o que vem à mente, sempre em contato com o corpo de vocês. É só deixar acontecer.

Amanda mergulhou de cabeça em seu pântano. A princípio, não viu nada, mas era algo que nunca tinha experimentado. Uma espécie de vazio, uma escuridão que aos poucos adquiriu nuances que pareciam formas, porém não eram nítidas e mudavam constantemente.

— As sensações do corpo de vocês são como o sonar que ajuda a enxergar nas profundezas. O radar é a consciência.

A solidão da noite passada ressurgiu. Sutil e bem no meio do peito. Amanda observou por algum tempo a sensação e confirmou que era uma antiga habitante de seu corpo e de seus sentimentos. Certamente, desde a infância. Viu seu pai chegar em casa e seu peito aliviou, mas, minutos depois, seu pai saiu, e seu peito mais uma vez acusou a falta. *Sempre me dei bem com meu pai*, pensou. Que diabos ele estava fazendo ali? Esperou mais um tempo, e seu peito afundava cada vez mais. “Pai, pai, pai, onde está você?” Sua mãe surgiu, disse que ele já chegaria e foi embora, mas isso não fez diferença alguma. Viu-se menina em seu quarto, sozinha e solitária. A cena logo mudou: ela estava na mesa do café, com a mãe dando atenção para sua irmãzinha, e nenhum sinal do pai. Só então se lembrou de que, por um tempo, seu pai trabalhou como representante comercial e ficava vários dias fora. Era imprevisível o dia em que chegaria. Seu coração começou a pular no peito. Mais uma noite sem saber dele. E mais uma. Até que ele chegou e a abraçou rapidamente; contudo, sua mãe logo a colocou na cama sem que conseguisse matar a saudade. No fim de semana, a mãe dizia para não o incomodar, pois ele precisava descansar. Aquelas tardes de domingo em que ficava ao lado dele eram tão boas... Ele lia os jornais da semana, e ela, algum livro com as pernas em cima das dele no sofá. Seu peito sossegou e se preencheu um pouquinho com essa lembrança. Subitamente, o pai tornou a sair, e seu coração disparou de novo. Era segunda-feira, e ele já tinha partido na hora que Amanda acordou. Seu peito acusou o vazio, sentiu medo, o medo de nunca mais vê-lo, e dor. Onde estava essa dor? Nas costas, na cabeça? O que era aquilo? Abriu os olhos. O som das águas e a visão do lago a deixaram em uma espécie de transe. Era uma dor de alma. Mas ela nem acreditava direito em alma... No entanto, a sentia, e estava dolorida... Era a dor do abandono.

Abandono. Era um monstro jogando seus tentáculos e puxando-a para o fundo do lago, daquele pântano.

— Confie, Amanda, confie.

Nesse momento, sentiu duas mãos quentes em seus ombros. Era Mike. Ele não a deixaria ser afogada pelo monstro do abandono. O rosto de seu pai aparecia em flashes enquanto se debatia para se desvencilhar daquele sentimento de vazio, de abandono, de não ser importante para ele. Não importante o suficiente, pelo menos.

— Perceba seu corpo, isso lhe dará ar para respirar lá embaixo — disse Mike, baixinho, com uma voz suave em seu ouvido.

Seu corpo, e a sensação que o tomara, mudava a cada minuto...

— Observe, Amanda.

Carlos, seu ex-marido, apareceu de repente com suas viagens a trabalho e o vazio que ela sentia por causa disso. Era como se fosse seu pai partindo. Como nunca tinha se dado conta disso? Foram muitas e muitas noites sentindo-se abandonada, ainda que ele entrasse em contato todos os dias. Lembrou-se dos plantões que marcava para fazer o tempo passar... Pelo menos se sentia importante para os pacientes. Fazia qualquer coisa para aplacar um pouco daquele mal-estar de estar sozinha em casa à noite. Sorvete e chocolate eram seus companheiros frequentes.

De repente, saiu um suspiro das profundezas de seu pulmão e sua alma. Nunca tinha sentido tanto ar entrar e sair de seu corpo, que relaxou. Sentiu Mike retirando as mãos. Abandono. Mike a abandonara. "Mike, Mike", gritava em sua mente, mas a palavra não saía. Afundou novamente no pântano, sem nada para puxá-la para baixo dessa vez. Lentamente, sua visão começou a ficar mais clara. Sentiu a presença de seu pai, mesmo sem vê-lo. Continuou no fundo, com seu corpo sendo levado por uma correnteza. Então ele apareceu, sorrindo, a seu lado e lhe estendeu a mão, porém Amanda não conseguia se mexer. Seu pai se aproximou, pegou-a pelo braço e começou a nadar para cima, batendo as pernas, enquanto ela tentava se segurar nele. Notou seu pescoço tenso como no dia anterior e direcionou sua consciência para essa sensação. O pai nadava para cima, puxando-a. A tensão do pescoço aos poucos foi se dissolvendo. Já podia ver uma nesga de luz vinda de cima. Seu pescoço, cada vez mais relaxado, largava o peso para permitir que seu pai a carregasse. A luz ficou mais forte e, num segundo, o nível da água se rompeu. Amanda emitiu um suspiro acompanhado de um gemido, deixando seu pescoço mole. A cabeça caiu para o lado, e ela se ancorou na lateral da poltrona. Estava com seu pai, a salvo, abraçada nele.

A água era cristalina, e o sol aquecia seu rosto. Ria, ria muito com o pai, que ainda a puxava em direção a uma praia. Quando deu pé, começaram a caminhar de mãos dadas. Ela tinha no máximo sete anos, e a praia não era a da sua infância; estava mais para Caribe ou Fernando de Noronha. Deitaram-se à beira da praia, sentia o sol e o mar a acariciando, o som das ondas pelos fones, a areia nas costas e a brisa no rosto. *Fogo, água, terra e ar*, pensou. Seu peito agora estava cheio. Sentia-se importante para ele. Olhou para o lado e viu sua mãe e sua irmã correndo na direção dos dois. A mãe deitou sua irmã ao lado de Amanda, deu um beijo em cada uma e se colocou ao lado do pai. Ficaram todos de mãos dadas, deitados, e o tempo parecia não existir mais. Seu corpo estava quente, pulsava uma energia suave em toda a sua pele. Estava conectada a eles, pertencia à família. Pela primeira vez, sentia-se amada. Apenas amada. Era a melhor sensação de sua vida.

Amanda ficou cerca de quinze minutos assim, deleitando-se naquelas imagens e sensações. Até que ouviu Mike falar, baixinho. Não queria sair dali.

— Devagarinho, comecem a voltar... Tragam com vocês essa sensação e não se preocupem em conversar agora. Andem bem devagar até o restaurante à beira do lago.

Amanda emergiu da poltrona deixando um buraco marcado. Ficou um pouco tonta, mas a vertigem passou assim que se pôs a caminhar. Sentia cada passo no chão. Em fila indiana, desceram as escadas, percorreram todo o corredor e saíram para a rua. Era meio-dia, e o sol tinha amenizado o frio; no entanto, Amanda fechou bem seu casaco. Poucos metros adiante, passando por um caminho de asfalto ladeado de árvores com folhas secas, entraram em uma casa verde situada à beira do lago. Chamava-se The Boathouse Lochside Restaurant, antes um guarda-barcos. Era possível ver a marina do outro lado do canal. Sentaram-se a uma mesa grande perto da janela, com cadeiras de madeira e estofamento azul muito confortável. Ninguém falava nada.

Amanda quis ficar ao lado de Mike, mas não conseguiu. Ele foi o último a sentar-se e ficou na ponta. Ela ficou entre Tânia e Alberto, de um lado da mesa, em frente a Carol, Fernando e Paula, do outro.

Mike chamou o garçom, que distribuiu os cardápios. Amanda queria algo leve, como um peixe, mas não salmão. Perguntou a Mike o que era *sea bass*, e ele respondeu que era robalo. Pediu esse, com manteiga e vegetais no azeite de oliva e chá gelado para beber. Pelo menos entendia bem o inglês que falavam naquele lugar. *Talvez por ser mais turístico*, pensou.

Ao olhar para a janela, deparou com um gramado ressecado e estreito em frente ao enorme lago ensolarado. Que viagem tinha acabado de acontecer. Com a visão lateral, percebia Fernando e não sentia absolutamente nada de ruim. Percebeu Carol, e nada também. Só amor em seu coração. Queria que todos estivessem plenos como ela estava. Tânia interrompeu sua divagação silenciosa.

— Meu Deus do céu, Mike. O que foi isso que você fez com a gente?

Mike sorriu, um pouco encabulado.

— Ora, vocês vieram até aqui... Tento fazer com que valha a pena. Eu aperto o botão, o trabalho mesmo é com vocês.

— Sei que é um verso desgastado de Fernando Pessoa — disse Paula, colocando a mão no peito —, mas me veio um sentimento de que, de verdade, tudo vale a pena se a alma não é pequena. Lamento se acharem piegas.

— Nesses dias, tenho experimentado tanta coisa que não conhecia — disse Alberto —, e várias delas, se eu estivesse vendo de fora, acharia bem piegas. Pensei que, ao vir para cá, viajaria para o exterior, como falamos, mas a viagem mesmo é para o interior da gente.

— Concordo totalmente, Alberto. Eu nem achei que existisse alma e agora a sinto tão claramente quanto meu braço — disse Amanda, apalpando o seu braço esquerdo com a mão direita.

O almoço seguiu em paz com suspiros, olhares perdidos em direção ao lago e frases existenciais entremeadas com outras sobre a comida e a beleza do lugar. Quando encerraram, Mike disse que os encontraria em vinte minutos no saguão para uma nova atividade.

A temperatura não era convidativa para passeios ao ar livre, mas o céu sem nuvens era. Amanda e Tânia começaram juntas a caminhar pelas instalações, agarradas uma no braço da outra.

— Esse frio é demais da conta pra mim — disse Tânia.

— Já passei invernos piores no Rio Grande do Sul quando era menina — comentou Amanda. — O que é aquilo lá?

— Parece um tabuleiro de xadrez!

No meio do gramado central, ladeado pelas imponentes paredes de pedra com arcos e janelas, havia um grande tabuleiro com as peças dispostas para uma partida. Aproximaram-se, rindo como duas meninas. Amanda jogou o peão branco, que batia na altura da sua coxa.

— Ah, não! Nem pensar que eu vou ficar aqui neste frio jogando xadrez — disse Tânia, abraçando o rei preto e dizendo para ele: — Meu rei, em outro momento a gente se encontra.

Amanda riu e recolocou o peão no lugar. Entraram e percorreram alguns corredores até chegarem à recepção. Serviram-se de chá. Tânia sentou-se no sofá e, ao ver Amanda se dirigindo para a poltrona, gesticulou com a mão livre.

— Minha companheira de sofá, venha cá, não me deixe só. Não vou entrar em erupção, prometo!

Continuaram juntas ali, esperando a chegada dos demais. O chá aquecia o peito de Amanda. Sentia o calor do corpo e da alma, sim, da alma daquela baiana a seu lado. Era um sentimento desconhecido. Não precisava fazer nem dizer nada. Estavam bem assim.

Quando todos estavam lá, Mike anunciou:

— Vamos agora para nossa última atividade aqui no Highland Club Scotland. Como falei pra vocês, este lugar foi um forte e, mais tarde, um mosteiro. Nós vamos agora para um lugar que não é aberto ao público, mas ao qual tenho acesso sempre que trago grupos pra cá. Venham comigo.

Havia suspense na voz de Mike. Amanda e Tânia se olharam e, sem falar nada, uma sabia o que a outra estava pensando. Juntas, acompanharam o grupo, deixando para trás alguns corredores e salas até chegarem a uma pequena porta de madeira. Mike a abriu com uma antiga chave de ferro e entrou na frente. Pediu que o seguissem com cuidado até que os olhos se acostumassem com a escuridão. Era uma sala pequena, com dois bancos de madeira com encosto. Ele pediu que sentassem três em cada banco. Amanda ficou no banco da frente, no canto direito, ao lado de Tânia, que ficou no meio. Podiam vislumbrar três janelas de madeira verticais e pontudas na parte de cima. Mike abriu a do centro, que tinha uma grade de ferro por trás e um vidro fosco. A luz mal entrou, o suficiente para deixar entrever a silhueta de Mike. Ele fechou a porta da entrada e começou a falar, caminhando devagar ao redor dos bancos.

— Essa sala era frequentada pelos monges para autoflagelo. Eles usavam o que se chama de disciplina, que era uma corda com nós na ponta. Quem viu o filme *O código da Vinci* deve lembrar, mas aqui não eram da Opus Dei. Eles participavam desses rituais como meio de purificação.

— Você não espera que a gente faça isso, certo? — interrompeu Carol.

— Muitos de nós nos flagelamos com mais frequência e mais crueldade do que eles — respondeu e esperou alguns segundos no silêncio escuro daquele cubículo. — Só que, em vez da corda, usamos acusações, críticas, ofensas e cobranças contra nós mesmos. Em vez de vergões na pele ou sangramento, as marcas são culpa, vergonha, raiva e desprezo.

— Você faz isso? — questionou Alberto.

— Não mais. Já fiz muito, muito mesmo. Há pouco mais de vinte anos, tive um mestre de meditação que chamou a minha atenção para isso. Levei dois anos para reduzir esse tipo de comportamento, até conseguir parar. A partir daí, o modo como passei a sentir a vida melhorou muito. Neste momento, o que pretendemos aqui é que vocês tomem essa consciência. Usem os áudios de vocês, PREP ou "Janelas da Alma", o que acharem melhor, a partir do quinto minuto, para terem só os sons, sem a fala. Podem colocar os fones, mas ainda não apertem o *play*. Eu vou dar as instruções em seguida.

Amanda estava achando aquilo tenso demais. Enquanto preparava seu áudio, lamentou que sua leveza tivesse ido embora. Por que ele resolveu cortar o barato dela? Crítica feroz de si mesma, sabia que se culpava demais. Seu pensamento foi interrompido pela voz dele:

— Vejo que estão todos preparados. Comecem a investigar na memória algum momento em especial em que vocês se culparam ou tiveram raiva de si mesmos — disse Mike, com a voz mais lenta e um pouco mais grave do que o habitual. — Pode também ser um contexto que se repetiu algumas vezes e em que vocês se criticavam duramente quando acontecia. Entrem nessa memória, nessas lembranças, e tentem buscar como isso repercute ainda hoje no corpo de vocês... Podem dar *play*.

Aquelas palavras, naquele lugar escuro, com o som das ondas do mar, jogaram Amanda de volta ao passado. Sintonizou com a culpa e voltou no tempo. Viu-se sozinha na cama de solteiro do pequeno quarto do hospital, com aqueles lençóis verdes e o travesseiro pouco confortável. Quando tinha folga no plantão ou revezava com um colega na madrugada, era lá que podia descansar. Só que estava se sentindo a última das criaturas, e seu peito parecia estar sendo rasgado por um punhal que a perfurava lentamente. "Eu sou uma puta", foi a frase que surgiu em sua mente. "Sua puta, sua puta! Por quê? Eu te odeio, sua puta filha da mãe." Chegou a se assustar com a intensidade com que arremessava aquelas ofensas contra si mesma. Lembrou-se de Júlio em cima dela, bufando enquanto transavam naquela cama estreita. O prazer era pouco, mas sentia algum alívio com o peso dele sobre ela. E medo de que alguém forçasse a porta trancada e soubesse que algo estava acontecendo ali dentro.

Não gemia, só queria alívio. Ele arfava, com o hálito de vários cafés. Alívio, alívio... do vazio. Sem Carlos. Que estava viajando, o filho da puta. Viajava e a deixava abandonada em meio à multidão de São Paulo. Só que o vazio não veio. Lembrou-se do processamento de poucas horas antes, do vazio e do sentimento de abandono que a dominavam quando Carlos viajava, os mesmos de quando seu pai viajava a trabalho. Por alguns segundos ficou feliz por não ter mais o vazio. Até a culpa atacar seu peito novamente. Entendeu, pela primeira vez, por que traiu Carlos durante os plantões com Júlio. Acontecia quando Carlos estava viajando. Era para preencher o vazio, uma vingança dele e daquele trabalho que o chamava para malditas reuniões, convenções e treinamentos. Quando ele estava em São Paulo, ela nem dava bola para Júlio. Quando Carlos estava longe, Amanda puxava assuntos picantes com seu colega enquanto assistiam à TV na sala dos médicos. Era a dica para irem para o quarto. Ele não entendia nada, nem Amanda; parecia um sorteio, um rolar de dados. Agora estava claro, e era tão óbvio. Como nunca percebera isso? "Sua idiota, imbecil..." Mais crítica, mais açoite... Começou a bater com os punhos em suas coxas. "Por que se ofender, sua idiota? Você já entendeu o que acontecia, os motivos de se sentir abandonada, carente, e por que tentava suprir isso com o Júlio." Voltou a sensação que tinha início assim que ele gozava. Ela nunca gozou com ele. Lembrou a última vez, em que ele se limpou no lençol e saiu sem fazer barulho. "Melhor não dar mole", disse ele, abrindo a porta. "Puta, puta..." A dor no seu peito começou a ceder. Recordou os pequenos problemas que ela criava para tornar necessária a ajuda de Carlos, tudo para não se sentir sozinha. Armava das suas antes de ele sair de viagem e, algumas vezes, conseguia retardar sua partida. Ela criava outros problemas durante a viagem para ter motivos para uma ligação extra, alguns minutos a mais. *Pura carência*, pensou, mas não estava mais sofrendo nem sentindo o peito doer, só um lamento. Em um segundo veio de novo a imagem dela com sete anos sozinha no quarto, na sua cama de solteiro. Estava mais uma vez acordada de madrugada pensando que, se fosse realmente digna do amor e da admiração do pai, ele não viajaria tanto. Estaria perto dela. De repente, ficou óbvio por que era justamente de madrugada que mais sentia falta de Carlos, quando apelava para ter Júlio com ela. Olhou para a Amandinha de sete anos. "Minha menina, você já se culpava tão cedo assim..." Respirou com todo o ar que tinha e exalou em um gemido longo. Ao fim do gemido, a voz de Mike ressoou na sala.

— Em vez de se punir e se criticar, que tal ter compaixão para consigo mesmo? Autocompaixão, que não é sentir pena de si... É ter empatia com você mesmo, sem julgamentos, compreendendo sua história e o ser humano complexo que você é.

Mike foi até o fundo da sala e abriu as outras duas janelas. A luz do sol entrou através dos vitrais coloridos, formando padrões luminosos por toda a sala; entretanto, Amanda ainda estava de olhos fechados.

— Busquem em vocês esse espaço em que são capazes de perdoar e ter compaixão, em que podem acolher a si mesmos quando estiverem sofrendo, como se fosse com seu melhor amigo... ou como se acolhessem o próprio filho, dando tudo de que ele precisa.

Viu-se adulta com a menina. "Amandinha amada, eu sei que é ruim sentir a falta do papai, mas isso não é culpa sua, meu amor. Você é uma menina muito legal e inteligente, seu papai ama você, mas precisa trabalhar. Isso não tem nada a ver com você. Eu vou ficar com você aqui a noite toda, vamos fazer companhia uma para a outra, tudo bem?" Seu peito se encheu de calor. Aquilo era tão bom, ainda que soubesse que não tinha isso da parte da mãe. Quando chegava para ela com algum problema, a mãe dizia que deveria ter feito diferente; não se sentia compreendida nem apoiada, e aquilo ainda exacerbava a culpa que já carregava. Percebeu que seu eu crítico tinha grande semelhança com a fala da mãe. Foram anos e anos levando a sério o que ela falava. "Amanda, está na hora de amenizar essas cobranças e críticas. Você não precisa mais disso. Não precisa mais. Se serviu para alguma coisa, ótimo, se te machucou de graça, já passou, mas agora vamos pegar leve, vamos cuidar desse coração que já sofreu bastante."

Amanda cruzou os braços em um autoabraço e começou a se fazer carinho. "Aaah, isso é tão simples e tão bom." Sentiu uma energia suave se movendo por todo o corpo e sua pele sensível ao toque leve de suas mãos. Tão simples e tão bom. Prometeu se tratar bem daquele momento em diante. Ficou se acarinhando e sentindo essa energia até perceber que havia luz na sala. Resolveu abrir os olhos bem devagar e pôde ver o roxo, o amarelo e o laranja dançando em sua frente. Foi tomada por algo maior, algo... divino, amplo, total. Era como se não tivesse mais divisão entre seu corpo e o mundo, ou melhor, o universo. Flutuava no universo como um grão de pólen no ar. Quis se perguntar o que era aquilo, porém nem conseguiu formular uma frase. Estava mergulhada, fundida com aquela sensação, embalada pela música suave misturada com o som das ondas do mar. Aquilo devia ser Deus. Pela primeira vez, sentia a presença de Deus. Seus braços lentamente se abriram, os cotovelos se dobraram e se apoiaram no abdômen, e as mãos ficaram suspensas no ar com as palmas para a frente. Só mais tarde percebeu que aquela era uma posição de oração. Fechou de novo os olhos, mas agora sentia as luzes acariciando de leve suas retinas. Sua mente se esvaziou e, por alguns instantes, simplesmente foi feliz. Plena. Era uma felicidade inédita para ela; não dependia de nada do mundo externo.

Mike voltou a falar.

— Vamos nos preparando para terminar, mais uns dois minutinhos...

Amanda resistiu um pouco, mas começou a voltar. Tirou os fones, espreguiçou-se e soltou um gemido baixinho.

— Quem estiver pronto pode se levantar e sair devagar. Fiquem à vontade para ir ao toalete ou para dar uma volta. Daqui a quinze minutos nos encontramos no hall de entrada. Vamos tomar mais um chá e voltar para Dornoch antes do pôr do sol.

Tânia convidou Amanda para saírem juntas. A companhia dela vinha sendo muito reconfortante.

— Que paz, meu Deus do céu! — disse Tânia, assim que chegaram ao corredor.

Amanda confirmou com a cabeça e completou:

— Vai ser completa depois de fazer xixi.

— É verdade!

De braços dados, as duas encontraram um banheiro no caminho até o hall. Em sua cabine, Amanda soltou um gemido de alívio, e Tânia, outro, de prazer. Começaram a rir. Depois, a gargalhar.

— É um gozo de corpo e alma! — exclamou Tânia.

No hall, Mike os esperava junto a uma recepcionista do hotel. Ela segurava cordas amarelas com franjas nas extremidades, que Mike distribuiu a cada um de seus pupilos. Amanda foi a última a receber.

— Vocês sabem o que é isso? — perguntou ele.

— Parece aquele cinto que os padres usam para segurar a batina, mas não sei o nome — respondeu Tânia.

— Cíngulo — disse Alberto.

— Exatamente. Essa palavra tem dois significados. Quer dizer algo que sustenta e contém, por isso é o que envolve e segura a batina, mas também é um símbolo de conexão.

Colocando seu cíngulo em volta da cintura, Amanda comentou:

— Em anatomia também se usa esse termo, mas não lembro direito para designar o quê. Não tem uma região do cérebro com esse nome?

— Bem lembrado, Amanda — disse Mike. — O giro do cíngulo é responsável pela integração entre razão e emoção, e é uma região-chave do cérebro para o autoconhecimento e a meditação, mas o nome foi dado porque ele circunda o corpo caloso...

— Que, por sua vez, é o que integra os dois hemisférios cerebrais — complementou ela e, sorrindo, continuou —, mas acho que estamos ficando muito técnicos.

Mike devolveu o sorriso para ela e os conduziu para a van.

Tânia e Amanda sentaram-se nos dois bancos da frente. Amanda mal reparava nos colegas de grupo. Estava aproveitando a sensação de relaxamento em seu corpo. Assim que John deu a partida, Mike girou sua poltrona para trás e ficou de frente para todos, que, surpreendidos, o olharam com espanto.

— Espero que tenha valido a pena — disse, com um sorriso aberto, recebendo sinais imediatos de aprovação. — É hora da nossa rodada de confissões. Vocês também podem usar este momento para comentar como foram os processamentos de hoje, mas desta vez será um pouco diferente. Ninguém é obrigado a dizer nada. Só diz se sentir que é importante. Senão, pode aproveitar o visual do lago e do pôr do sol. Ah, o motorista não entende nada de português.

Alberto puxou a palavra.

— Eu descobri que o maior monstro que estava dentro de mim era eu mesmo. Quando eu tinha oito anos, um primo se aproveitou de mim. Ele é três anos mais velho, e eu era ingênuo e ignorante em relação a sexo. Fiquei muito confuso. Era uma coisa nova e estranha, um misto de prazer e nojo. Soube na hora, pelo jeito dele, que era errado, porque ele me mandou nunca contar pra ninguém. Quando me tornei adolescente, cheguei a ter dúvidas sobre a minha sexualidade. Isso ficou como um monstro na sombra. Sempre tive atração por mulheres, amo minha mulher, mas eu me punia em relação ao que aconteceu, como se eu tivesse culpa. Acho que hoje pude me perdoar por algo que me atormentou durante anos e ficou escondido. Era meu maior segredo até este momento.

Quando ele parou de falar, Tânia se virou e fez um carinho na perna de Alberto, que agradeceu pondo a mão sobre a dela. Todos mantinham o olhar para a janela que dava para o lago, com exceção de Mike, que mirava Alberto com olhar terno. Ninguém falou nada por alguns minutos, absortos na paisagem que passava pela janela. Amanda decidiu que, desta vez, não seria a última.

— Eu me separei do meu marido porque ele me traiu — começou a falar, sem conseguir olhar para Mike. — Recebi por engano uma mensagem dele no celular para me encontrar em um motel; na verdade, era para uma colega de trabalho. Só que eu também o traí algumas vezes. No plantão, com um colega. Hoje entendi por que fiz isso. Eu me sentia abandonada quando Carlos, meu ex-marido, viajava. Eu ficava chateada com ele, mas eu trazia isso comigo desde criança, porque meu pai viajou muito por alguns anos. Eu me sentia sem valor, deixada para trás, principalmente nas madrugadas. Minha mãe ficava cuidando da minha irmã mais nova, que tinha dificuldade de dormir.

Olhava pela janela, ainda estava difícil encarar Mike.

— Então, agora eu fico pensando — continuou ela — que, se eu tinha meus motivos para traí-lo, ele também devia ter os dele para fazer o mesmo. Não sei quais são e talvez nem ele saiba, já que eu não sabia dos meus até hoje à tarde. Agora eu o compreendo melhor. Ele fez de tudo para voltar comigo, e eu sabia que ele me amava. Nunca contei pra ele sobre as minhas traições, a sensação de culpa era muito grande. No fundo, não aguentava mais me sentir abandonada, e isso também foi me afastando dele. Ele viajava pelo menos duas vezes por mês, mesmo que fosse por um ou dois dias. Eu não queria mais passar por aquilo, mas o que aconteceu foi que, desde que nos separamos, me senti ferida e magoada — virou para Mike —, até vir para este seminário.

Mike olhou-a fundo nos olhos, de modo direto e doce ao mesmo tempo. Amanda desistiu de falar mais. Sentiu-se aceita e compreendida por ele também. Desta vez, não se sentiu constrangida e manteve o olhar. Ficaram assim até ele falar:

— Interessante ele ter mandado a mensagem pra você. Talvez alguma parte dele quisesse que fosse você a ir ao motel?

Amanda não soube o que responder. Nunca tinha passado por sua cabeça essa possibilidade. Lembrou-se de alguns convites de Carlos para irem a um motel, mas ela sempre desconversava. Quando ela estava começando a gostar da ideia de que ele queria ir com ela ao motel, Mike completou:

— É só uma hipótese... Se for verdade, é o que Freud chamou de ato falho.

Amanda acenou com a cabeça e lamentou não saber de fato o que se passava com Carlos. Alguns segundos depois, sua atenção foi desviada para Fernando, que começou sua confissão.

— Hoje eu percebi o mundo de faz de conta que eu criei a vida inteira pra mim. Sempre fui o cara que dizia estar tudo bem. Tentava passar uma imagem de seguro, confiante, o cara que nunca se abala. Era uma grande mentira... e uma covardia. Essa história da autenticidade bateu muito forte em mim. Entendi que tinha muito a ver com não querer enxergar meus problemas, minhas limitações...

— Isso tem a ver com a autoaceitação — interrompeu Carol, e Mike sinalizou com a mão para ela parar de falar.

Fernando prosseguiu:

— É, acho que tem a ver com isso, mas eu me protegia tanto que nem dava tempo de pensar sobre o assunto. Hoje ficou claro por que tudo começa no autoconhecimento. Das facetas da autoestima, a autenticidade foi a que me pegou. — Sua voz começou a fraquejar. —E poder falar isso pra vocês pode parecer banal, mas pra mim é uma grande coisa — disse ele, já soluçando e com as lágrimas correndo pelo rosto.

Mike levantou-se e acocorou-se do lado dele, colocou a mão no seu peito e disse, baixinho:

— É uma grande coisa, Fernando.

Fernando desatou a chorar como uma criança perdida. Mike ficou ali, agachado, com a mão no peito dele. Fernando balbuciou algumas coisas, porém só deu para entender a palavra "pai". Mike disse que ele tinha todo o direito de chorar e de mostrar suas emoções, que estava honrado com isso e orgulhoso pela confiança que

Fernando depositava em todos. Ficou ali até ele se acalmar. Depois, voltou para seu assento. O sol tinha se posto, e a van começou a se afastar do lago Ness.

— Tchauzinho, monstro do lago Ness — disse Paula. — Eu percebi alguns monstros em mim. Um muito sorrateiro foi a depressão da minha mãe depois que ela se separou do meu pai. Ela se fazia de vítima pra ele pra conseguir algumas coisas e eu não achava aquilo certo. Entendi que ela estava sofrendo de verdade, e essa era uma forma de não perder totalmente o contato com ele, que já estava com outra mulher mais jovem e mais bonita. Foi estranho, mas pude sentir a dor da minha mãe como se tivesse sido comigo. Enquanto era criança, fui meio que impregnada pelo baixo-astral, mas não me dava conta. Eu me atirava nos livros, adorava ler e viver algo mais interessante do que minha vida. E nisso passei a negar meu corpo e o que eu sentia. Meu corpo passou a ser só o meio de transporte do meu cérebro. Que coisa... Depois veio a minha madrasta, que manipulava meu pai de um jeito que me deixava indignada, mas, como eu gostava muito de ficar com ele, a aturei. Vi que minha editora, aquela a que eu desobedeci, de alguma maneira era parecida com ela. É incrível o que a gente carrega e nem se dá conta dessa influência no dia a dia. Enfim, acho que limpei muita coisa que eu tinha com o feminino, dentro e fora. Agora parece que alguma coisa se encaixou, que entrei na minha própria pele de novo. Esse tal de processamento é muito forte, muito... libertador. Vou ter que escrever sobre isso. Obrigada, Mike.

Ele sorriu para ela sem dizer nada. Estavam passando por dentro de Inverness, as luzes das casas e da rua já estavam acesas.

— Eu tive o privilégio de ter uma família com boas condições financeiras — começou Carol. — Meu pai trabalhava muito e só pensava em ganhar dinheiro. Minha mãe também cobrava isso dele. O status sempre foi importante demais para nossa família. A sombra que me veio não foi disso, e sim do que faltou, que foi o afeto.

Eu preciso do olhar de tanta gente nas redes sociais, como blogueira, como formadora de opinião, porque não me senti olhada o suficiente em casa. Digo olhada como pessoa, não como a menina bonitinha e bem-arrumada. Essa atraía olhares, e nela a mãe estava sempre reparando. — Fez uma pequena pausa. — Minhas duas melhores amigas eram de famílias milionárias, e meus pais tinham o maior orgulho disso. Por outro lado, acho que eles se sentiam inferiores em relação à família delas. Aliás, eu muitas vezes me sentia menor vendo as roupas delas, sabendo das viagens para o exterior, dos motoristas que as levavam pra cima e pra baixo. Talvez isso tenha feito meu pai querer trabalhar mais ainda. A consequência é que ele ficava muito pouco tempo em casa. Hoje eu vi que isso me fez falta. Para completar, quando eu tinha onze anos, eles se separaram. Quando passava o fim de semana com meu pai, ele me colocava na frente da televisão e ficava trabalhando no computador. Ou seja, nem para o meu pai eu era interessante! Quanto às minhas amigas, não tinha como não me comparar, então eu tinha que me sobressair em alguma coisa. Foi aí que entrou a moda. Quando saíamos, minha vingança era que os garotos olhavam primeiro pra mim. Fui a primeira a beijar, a primeira a transar e contava tudo pra elas, dando uma de sabe-tudo. Quanta insegurança, meu Deus. Na verdade, só tive dois namorados e há mais de um ano tento encontrar alguém e não consigo. Meu segundo namorado ainda disse que gostava de mim, mas queria ter outras experiências e, por isso, me deixou. Mais uma vez, o que veio pra mim é que não sou boa o suficiente. Não fui boa o suficiente para o meu pai, para a minha mãe, como modelo, para os caras que namorei... — Começou a soluçar em um choro baixinho. — Tem sido uma fase péssima. Na balada, fico com alguém que depois não quer mais saber de mim. Ou quer transar, depois some. Puf! Evapora! A mesma coisa com os que encontrei pelos aplicativos. Cada vez que isso acontece, me sinto um lixo, descartada, sem importância. Só de raiva, publicava posts ironizando os homens... O máximo que consegui foi um para transar de vez em quando. E, desde os tempos de modelo, também fico com garotas. No começo foi por curiosidade, mas depois foi uma maneira de estar com alguém mesmo. Enfim, hoje de manhã eu vi essa história toda e agora sei que tem tudo a ver com minha autoestima. Foi muito duro enxergar o quanto sou vulnerável e dependente do que os outros pensam de mim. Tenho inveja de blogueiras de moda que fazem sucesso, e isso tem a ver com o que eu sentia em relação às minhas amigas mais ricas. Está claro pra mim por que passou a ser cada vez mais importante eu postar minhas fotos e ter as curtidas dos seguidores. — Respirou fundo, se recompôs e, depois de alguns segundos, continuou. — Mas também senti que algo mudou em relação à maneira de me relacionar comigo mesma. No trabalho da tarde, eu fiquei mais em paz, perdoei meus pais por terem esses valores, a mim mesma pela bobagem de competir com minhas amigas, de não querer ficar por baixo... Cheguei a achar que trabalhar com moda era uma forma de me compensar, mas depois vi que existe algo de genuíno em mim nessa área, uma vocação. Só que o meu jeito de trabalhar vai mudar. Me vi usando a moda como expressão da autenticidade, e não porque é *cool* usar tal marca ou roupa. Como vou fazer isso, ainda não sei, mas acho que é por aí.

Amanda mal acreditava que aquelas palavras tinham saído da boca de Carol. Sentiu que ela realmente tinha se revelado, apesar de não ter feito o processamento com Mike em grupo. Achou interessante como algumas coisas da vida da Carol batiam com o que aconteceu com ela, apesar de tantas diferenças de contexto e na trajetória de cada uma.

Já estavam na estrada em direção a Dornoch. Só se viam o escuro da noite pela janela e algumas luzes passantes. Supreendentemente, Tânia havia ficado por último.

— No fim, todo mundo acabou falando, então eu não vou ficar de fora.

— Só se você quiser, Tânia — disse Mike.

— Olha, aquele meu processamento de ontem limpou tanta coisa, mas tanta coisa... Depois me caiu a ficha que foi por causa daquela situação com a minha mãe que nunca quis ter filhos. Hoje foi diferente. Primeiro veio muita mágoa e raiva do que algumas pessoas me fizeram em função da minha cor, principalmente quando saí da Bahia. Percebi também que ainda tinha algo dentro de mim que me fazia não me sentir merecedora do que eu conquistei no Rio de Janeiro, como se não tivesse o direito de estar onde estou, com minha estética e meu salão em bairros nobres. Até a oportunidade de estar aqui com vocês, nesse castelo. Aos poucos isso foi saindo de mim e fui mergulhando mais fundo no pântano. Então, eu me vi nadando nas minhas carências, em tudo de que senti falta e nem desconfiava, principalmente na minha infância, porque comecei a trabalhar muito cedo e assumi responsabilidades com meus irmãos por ser a mais velha. Até que, em certo momento, pude olhar pra mim e fazer o que eu queria. Comecei a brincar comigo mesma, eram Tânias de várias idades que se tornaram amigas e se apoiavam. Brincávamos de roda, nos atirávamos umas por cima das outras, uma doideira só. Foi muito bom! De tarde, foi totalmente diferente. Aquele lugar me deu arrepios quando a gente entrou, mas, assim que fechei os olhos, senti que Jesus estava comigo. Não aconteceu muita coisa, só senti a presença dele. Quando o Mike abriu aquelas janelinhas, Jesus apareceu e se sentou ali do meu lado! Bem onde a Amanda estava. Fiquei completamente chocada! Ele disse que eu não precisava me torturar tanto, que já tinha dor suficiente no mundo. Daí resolvi me confessar, uma confissão de vida inteira, de tudo o que fiz de ruim para mim e para os outros. E olha que eu aprontei nessa vida... Eu ia saber quando veria Jesus de novo? Ele só ficou me olhando, e senti o que era realmente o amor incondicional. Por mais barbaridades que eu contasse, não houve nenhuma reprovação ou julgamento. Ele só balançava a cabeça devagar. Tinha um sorriso leve e parecia ser tão compreensivo... Quando eu acabei,

Jesus simplesmente me abençoou e foi se dissolvendo no ar. Meu Deus, que paz! Estou até agora em transe.

Amanda olhou para Mike e viu sua expressão satisfeita ao olhar para eles, ainda virado de costas para o para-brisa na sua poltrona giratória. Quis perguntar sobre esses fenômenos espirituais, mas resolveu deixar para mais tarde. Alguns minutos depois, John fez a curva para sair da estrada principal, e os pneus da van abriram caminho no pedregulho até o castelo.

Vendo o vapor que saía da banheira e seus joelhos para fora da água, Amanda lembrou-se das imagens do monstro do lago Ness registradas no documentário. Eram ilustrações com corcundas emergindo do lago. Ficou pensando em como Mike havia bolado aquele roteiro. Fechou os olhos, e sua mente foi tomada pela imagem dela e de sua família deitados à beira-mar, assim como estava deitada na banheira. *Isso é tão bom...* Sentiu seu peito transbordando novamente, mesmo sem a intensidade da experiência da manhã. Entre acordada e dormindo, parecia flutuar na banheira.

Quando terminou o banho, ficou impressionada com a sensação de leveza em seu corpo. Abriu o ralo. Sentia a pele muito mais sensível ao toque da água enquanto a banheira se esvaziava. Lembrou-se do primeiro dia naquele quarto, naquela banheira. Para quem visse de fora, a cena poderia parecer a mesma; no entanto, a sensação de ser Amanda havia se transformado. Pensou na Cris, a amiga que havia feito e indicado o seminário, e seu sorrisinho que transitou entre o mistério e a satisfação quando Amanda lhe perguntou o que tinha achado. Precisava comprar algo para ela e agradecer-lhe pessoalmente. O que queria mesmo era conversar sobre a experiência, saber como tinha sido a vida da amiga depois do intensivo. A maioria das pessoas não entenderia.

Enquanto se arrumava, veio em sua mente o processamento das suas traições e o que havia falado na van. O que mais chamou sua atenção foi a mudança de perspectiva. Sabia que estava fazendo a coisa "certa" quando se separou de Carlos, mas nunca havia colocado todos os fatores na balança. Nem sequer cogitou refletir sobre o que tinha feito e muito menos por quê. Precisava ter uma conversa franca com Carlos.

Quando todos estavam sentados à mesa, Mike anunciou:

— Hoje é nossa última noite juntos no castelo. Amanhã teremos atividade pela manhã a partir das nove e encerraremos com o almoço. Depois disso, vocês estarão liberados. John estará aqui às duas e meia em ponto pra levá-los a Inverness.

— E nossos celulares? — perguntou Carol.

— Vou devolvê-los depois do almoço. Está sentindo falta?

— Bem menos do que imaginava. Quero contar pra minha mãe como foi, mas acho que vou pegar leve nas redes sociais.

— Eu decidi que vou dar um tempo. Quero menos ruído na minha vida, já sou muito agitada — disse Tânia.

— Eu também — concordou Fernando. — Virei escravo do celular.

Naquele momento, Emily chegou com uma enorme sopeira. Parecia que estava brincando com as palavras e as únicas compreensíveis foram *soup* e *bread* quando apontou para a cesta de pães.

— Hum, esta sopa é bárbara — disse Mike.

— Como é o nome mesmo?

— *Cock-a-leekie* — disse ele, então soletrou.

Tânia tomou a frente e começou a servir os colegas, enquanto a cesta de pães quentinhos circulava.

— Vamos ver se vocês identificam os ingredientes. Alguns são bem óbvios, claro, mas tem algo inesperado para uma sopa.

— Já deu pra ver que tem frango e alho-poró — disse Amanda, recebendo sua tigela de Tânia.

Começaram a comer e a tentar adivinhar os ingredientes.

— Cenoura.

— Bacon?

— Sim — disse Mike.

— Isso aqui deve ser aipo.

— Aham — confirmou ele. — Faltam dois ingredientes importantes, e um é invisível...

— Como assim, invisível?

— É visível, mas sutil.

— Esse negócio preto aqui não é o sutil — disse Alberto.

— Não é preto, é arroxeado, parece uma azeitona grande — disse Carol.

— É uma fruta, tem caroço — disse Tânia, ao cutucar o tal ingrediente. — É ameixa-preta!

— Exatamente, Tânia, nem precisou provar, hein? Agora só falta o ingrediente sutil.

— Tem esse temperinho aqui. É alecrim? — chutou Fernando.

— Quase, mas não é esse o sutil, só pra saberem.

— Isso é tomilho — falou Alberto, com confiança.

— Acho que é — disse Mike. — Em inglês, eu sei que é *thyme*.

Amanda estava atrás do ingrediente misterioso. Invisível? Então resolveu fechar os olhos. Percebeu que até seu paladar estava mais sensível.

— Vinho branco — disse e manteve os olhos fechados.

— Bingo! — disse Mike.

— Chardonnay.

— Aí já é demais, deixa eu conferir com a Emily.

Mike saiu, e ficaram todos na expectativa. Amanda estava mais interessada em aproveitar a sopa. Poucos segundos depois, Mike surgiu com a garrafa em punho e mostrou para Tânia, que estava sentada perto da porta que dava para cozinha.

— Filha da mãe! — disse Tânia, soltando uma gargalhada.

— "O essencial é invisível aos olhos" — disse Amanda, sorrindo.

— Vai querer adivinhar a safra? O país de origem? — brincou Tânia, segurando a garrafa.

— Isso não é essencial — respondeu.

Mike balançou a cabeça e falou:

— Além de ter um ótimo paladar, essa moça está ficando sábia.

— Mas, como estamos na Europa, deve ser francês. Da safra eu não tenho ideia, mas os brancos dificilmente melhoram com o tempo. Se ela usou pra cozinhar, não deve ser um vinho nobre.

Carlos era fascinado por vinhos, e por causa dele Amanda passou a conhecer um bocado do ofício. Para desgosto do ex-marido, ela acertava muito mais do que ele nas degustações às cegas. Era um dos passatempos que tinham quando ainda eram noivos, mas que acabaram deixando de lado quando compraram o apartamento. Sua divagação pelo passado foi interrompida por Tânia, que tentava pronunciar o nome do vinho em francês, e pediu ajuda para Carol.

Amanda não estava realmente ligando para isso. Tampouco se importava se Mike achava seu paladar impressionante.

— Estou achando essa sopa uma delícia — disse ela, colocando um ponto-final na discussão. — Está divina, mas não sei se é a sopa ou sou eu que estou tendo mais prazer depois da tarde de hoje.

— Essa é a grande questão — concordou Mike, piscando para ela.

Quando iam subir para os quartos, Fernando chamou Amanda:

— Você pode me dar um minuto?

Amanda não teve como recusar seu pedido. Fernando apontou para a salinha junto ao hall.

— Eu quero agradecer a você por ter me evitado depois da noite no pub. Foi bem difícil pra mim, mas me ajudou muito a aproveitar o trabalho do Mike.

Ela respondeu sem pensar, mas com um toque de ironia:

— Você deve agradecer à Carol também. Pelo visto, ela ajudou você a lidar com isso.

— Já agradeci. Coitada, ela não me aguentava mais falando em você e ficava repetindo que era bom para aprender a perder e a ser menos autocentrado. Ela sabia bem como era se sentir deixada de lado, e seu apoio foi muito importante.

Deu um beijo no rosto de Amanda e saiu. Por alguns instantes, ela ficou sem saber o que pensar. Decidiu evitar julgamentos sobre si ou sobre os outros e subiu.

Arrumou-se com calma para dormir e só quando se deitou encontrou o envelope sobre o travesseiro.

Queridos,

Espero que tenham aproveitado o retiro. Foram dias intensos para lapidar as facetas da autoestima ao revisitar e processar os dramas mais marcantes de cada um de vocês.

O autoconhecimento é uma viagem como uma espiral ascendente para o infinito. Não tem ponto de chegada, mas o caminho e a vista são maravilhosos! Sugiro que, de tempos em tempos, releiam os textos que passei e lembrem-se dos momentos vividos aqui em contato com seu corpo e seus sentimentos. Isso é importante e necessário para gerar um movimento interno, para não ficar só no entendimento intelectual. Contem com os áudios que estão no aplicativo Cíngulo, assim como com as centenas de abordagens existentes para explorar seu mundo interior.

Quanto à autoestima, proponho que a considerem como o seu diamante mais precioso. As facetas lapidadas do diamante refletem a luz, assim como a deixam entrar e a transformam. Sua beleza não vem só do seu brilho, mas também do contraste com a sombra que está dentro dele. Da mesma forma, ao nos apropriarmos da nossa sombra e abraçarmos nossa humanidade imperfeita, nos tornamos mais inteiros. Não é à toa que se fala de beleza interior. Ela vem do brilho e dos contrastes da autoestima bem lapidada.

As facetas desse diamante podem ser resumidas em frases simples:

- *Eu me aceito.*
- *Eu zelo por mim.*
- *Eu me acolho.*
- *Eu mereço.*
- *Eu consigo.*
- *Eu sou.*

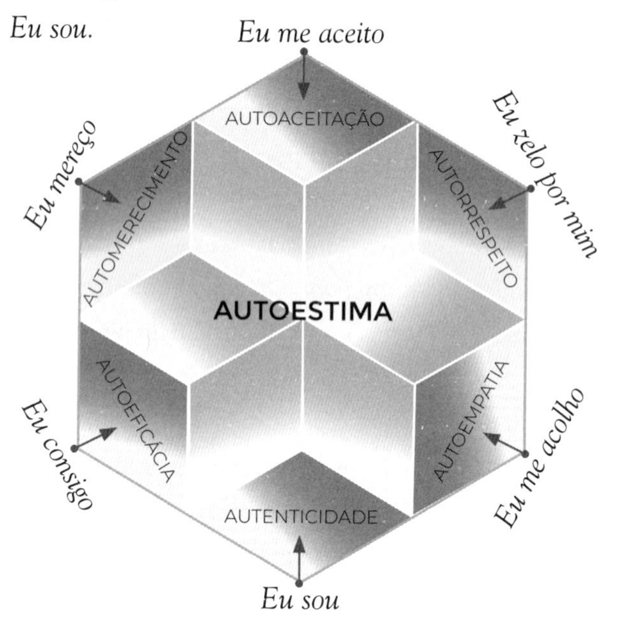

Essas frases são úteis diante das situações de vida que os desafiem, para meditar ou usar como uma pequena prece.

Foi uma honra compartilhar esses momentos com vocês até agora. Amanhã, será um dia mais leve para a etapa final: o polimento.

Um forte abraço,
Mike

Amanda repetiu as frases lentamente e imaginou seu diamante reluzindo até pegar no sono.

DIA SEIS

revelação

ANTES DE DESCER PARA O CAFÉ, Amanda resolveu dar uma espiada pela janela. Assim que abriu a cortina, avistou a árvore e dois esquilos vermelhos. Um mudou de galho enquanto o outro se apoiava no tronco e ensaiava uma escalada. Ela percebeu um movimento no chão, e seus olhos encontraram o esquilo cinza. Ao contrário do primeiro dia em que o viu, não se abalou. Prestou atenção nele. Logo apareceu mais um, e os dois saíram correndo para trás da árvore. Não parecia haver nenhuma grande disputa de território entre os vermelhos e os cinza. Estavam ali vivendo e, ao que parecia, convivendo bem.

Tão raro ver isso entre humanos atualmente, pensou, mas também se lembrou de que o esquilo vermelho corre grande risco de morrer se for contaminado com o tal vírus ao qual o cinza é imune. Não se podia culpar o animal, que não pediu para ser transportado da América do Norte até as ilhas britânicas. Eles nem imaginam o que foi que definiu essa interação que foram levados a ter.

Em um lampejo, Amanda vislumbrou como sua vida também havia sido afetada por inúmeros contextos cujas origens eram anteriores a ela. Não tinha a menor ideia disso e, se não fosse por aqueles últimos dias no seminário, talvez nunca viesse a perceber. Despediu-se de seus vizinhos peludos e desceu.

Era seu último mingau e o último dia que veria aquele sorriso franco da Emily. Estava começando a entender o que ela falava no seu sotaque *working class* escocês. Sentiu vontade de lhe dar um abraço. Hesitou por um momento, mas colocou sua tigela na bancada e disse:

— *Can I give you a hug?*

Emily respondeu abrindo os braços. Abraçaram-se durante poucos segundos, e Amanda sentiu seu peito ser abastecido. Sorriu e saiu com seu pote de mingau, satisfeita pela ousadia de ter sido autêntica e de fazer o que seu coração pedia.

Quando se sentou à mesa, Mike estava chegando.

— Espero que tenha sobrado mingau!

— Tem bastante ainda! — disse e viu Tânia sentada. — Uau, que transformação!

— *Black power*, menina! Beleza natural — respondeu ela, sacudindo sua cabeleira solta.

— Eu acho lindo, fiz alguns permanentes na vida pra ter mais volume, depois desisti. Agora, com licença, que é meu último mingau!

Depois de saborear a primeira colherada acariciando sua língua, Amanda resolveu falar para todos:

— Vocês não têm ideia do que é esse mingau da Emily! Vocês vão se arrepender se não experimentarem.

Não foi enfática, mas falou com o coração. Todos foram imediatamente para a cozinha, quase atropelando Mike, que já estava voltando.

— Que poder de persuasão, hein, Amanda?

— Quando percebi, já tinha falado. Brotou do coração — disse ela, estranhando as próprias palavras.

— Está explicado.

Reunidos na sala do seminário, o sol tentava entrar pela janela quando as nuvens deixavam. Mike deu início aos trabalhos da manhã.

— Hoje é o último dia do seminário, e nós o encerraremos com um almoço especial. Eu gostaria de conversar sobre o caminho de autoconhecimento que vocês trilharão de agora em diante.

— Eu tenho algumas dúvidas — começou Paula. — Tenho pensado em voltar para a terapia e organizar melhor tudo o que trabalhei no seminário.

— É uma boa ideia.

— Mesmo se for terapia falada?

— Sim. Não sou contra a terapia falada. Só lamento quando fatos que poderiam ser resolvidos de maneira mais rápida e profunda com o processamento são remoídos. A terapia falada ajuda muito para se chegar a uma compreensão maior do que foi processado, e a própria relação em si é muito benéfica, principalmente pra quem teve relações complicadas com o pai ou a mãe. O que sugiro é que você continue a fazer o processamento como parte da terapia normal.

— Você quer dizer fazer duas terapias?

— Pode até ser, mas basta encontrar um terapeuta que saiba fazer processamento ou usar o PREP e o "Janelas da Alma" no aplicativo Cíngulo. Ah, uma dica muito útil que eu quero deixar pra vocês é a seguinte: quando passarem por alguma situação emocionalmente difícil, procurem processá-la com um desses áudios no mesmo dia, de preferência quando ela ainda estiver "quente" dentro de vocês. O ideal é até seis horas depois do evento que mexeu com vocês, que é o tempo que esse arquivo de memória leva pra se fechar. É uma grande oportunidade de limpar não só essa, como outras situações semelhantes do passado. São resíduos que também podem ser transformados em aprendizado, paz e expansão. Aproveitar o momento real é muito rico, e esse talvez seja o melhor uso dos áudios de processamento. Daí você leva o resultado do processamento pra conversar com seu terapeuta.

— Ainda acho surpreendente que essas técnicas sejam tão pouco divulgadas — comentou Alberto.

— Uma das dificuldades que testemunho nesse assunto é que parece ser bom demais pra ser verdade. O santo desconfia... Mesmo que a ciência já conte com ótimas evidências dessas técnicas em dezenas de trabalhos, o mais importante é experimentar para não ter dúvida de sua eficácia.

Paula entrou na conversa:

— Li há pouco tempo uma matéria sobre como a revolução digital tem facilitado o acesso a terapias, com boa redução do custo para utilizá-las. Nos Estados Unidos, boa parte das empresas oferece algum benefício para os funcionários na linha do autoconhecimento, como aplicativos de meditação. Até porque a maior causa de falta ao trabalho até os cinquenta anos são problemas emocionais.

— Isso deve valer a pena financeiramente para essas empresas, senão elas não fariam isso — argumentou Fernando.

— Alguém tem dúvida de que vamos trabalhar melhor depois deste seminário? Que vamos nos melindrar menos com um feedback? — perguntou Alberto, retoricamente. — Por isso é que se diz que as pessoas são contratadas por suas habilidades técnicas, mas são despedidas por seu comportamento. O que falta para muita gente ser competente emocionalmente é saber o que fazer. "Querer é poder" só funciona quando se sabe qual caminho tomar.

— Eu vou dar um jeito de fazer alguma coisa com o pessoal que trabalha comigo — disse Tânia. — Tanto as manicures como os cabeleireiros ouvem os clientes desabafando o dia inteiro. Coitados deles!

— Eu gostaria de reduzir muito minha sensibilidade emocional — disse Paula. — Você sugere meditação, Mike? — Ela quis saber.

— Acho ótimo, mas meu conselho é mais geral — respondeu Mike. — O ponto central é se manter no modo de autoconhecimento, com cada vez menos autoproteção e autopunição. É muito bom deixar de ser hipersensível, Paula, mas outro caminho é aceitarmos nossa natureza. A sensibilidade emocional também pode ser usada a nosso favor, bem como outros traços.

— Hum, interessante. É uma forma de autoaceitação.

— Exatamente, Paula. Quanto ao que fizemos ontem, gostariam de comentar algo?

A conversa seguiu por meia hora com cada um aprofundando os relatos feitos na van no dia anterior. O que mais impressionou Amanda foi que todos estavam se sentindo mais vivos e positivos sobre o que haviam passado na vida. Encontraram novos significados, perdoaram aos outros e a si mesmos, ganharam consciência sobre pontos cegos e relações que os influenciaram negativamente. Era uma nova apreciação da vida ao comparar o modo como cada um chegou ao seminário e como estava agora, no fim. Fernando, antes o mais egoísta e exibido de todos, mostrava-se bem mais genuíno enquanto servia o café para os colegas. Carol deixou de ser pretensiosa e de estar na defensiva para se tornar mais afetiva, transparente e atenciosa. Tânia estava muito mais suave e amorosa. Alberto estava sorridente, sem a nuvem negra que pairava em cima dele. Paula emitia paz em vez do espírito excessivamente crítico e racional de antes. Ela mesma mal se reconhecia de tão leve e expandida que se sentia, sem falar da compreensão que ganhou sobre sua vida e seu jeito de ser. Só Mike continuava o mesmo, porém sua admiração e seu afeto por ele cresceram ao conhecê-lo melhor no seminário. Quando houve uma brecha, Amanda tomou a palavra.

— Eu tenho uma experiência pra compartilhar — disse. — Nunca fui uma pessoa ligada em religião nem em espiritualidade, mas ontem à tarde, no processamento naquele lugar do autoflagelo, acho que passei por uma experiência assim. Talvez tenha sido uma ilusão de ótica ou algo que meu cérebro disparou por causa da luz que entrou por aquelas janelinhas.

— Interessante. Você pode descrever um pouco melhor o que aconteceu?

— Eu estava fazendo o processamento. Estava em paz comigo mesma... Tinha conseguido me distanciar da minha cobrança interna, das cobranças da minha mãe, e comecei a me acarinhar. Senti minha pele muito sensível, com uma energia passando por ela, enquanto vinham aquelas luzes pelos vitrais. Me senti fundida com o universo, quase flutuando. Foi então que pensei que aquilo era Deus.

— Ave Maria, e eu vi Jesus nessa hora bem onde você estava, Amanda — disse Tânia.

— Só que eu não sei se acredito em Deus do jeito que você acredita, Tânia — disse Amanda, encolhendo os ombros.

Mike esperou para falar enquanto os demais emitiam opiniões em voz baixa ou falavam com o colega do lado.

— Pra mim, o que mais importa disso tudo é sua experiência, Amanda — disse ele, finalmente. — Isso é genuíno e inquestionável, pelo menos do ponto de vista subjetivo, e me parece ter sido muito terapêutico. Não é raro que o processamento de memórias dolorosas leve a uma experiência espiritual, como foi o seu caso e o da Tânia. A meu ver, em grande parte o processamento de memórias se dá na consciência, que também pode ser chamada de esfera espiritual ou existencial, se preferir. Nessa esfera, acessamos nossa sabedoria natural e podemos transcender o mundo concreto. A maioria das pessoas vivencia essa esfera por meio da religiosidade. Outras, a partir da filosofia ou da psicanálise. Outras, ainda, pela meditação. O que acho mais importante pra você é ter expandido essa parte da mente, do seu ser.

— Mas isso não pode ter sido uma reação bioquímica do meu cérebro?

— Claro que sim, porém uma explicação neurocientífica não anula sua experiência subjetiva. São dois níveis diferentes do fenômeno.

— Resumindo, Amanda — interrompeu Tânia —, relaxa e goza!

Depois que todos pararam de rir, Mike completou seu raciocínio.

— Eu também poderia dizer que, ao mergulhar mais em seu corpo, sua alma voou mais alto.

— Quanto mais profundas as raízes, mais alta é a copa da árvore — disse Alberto.

Mike concordou com a cabeça. Alberto olhou diretamente para Amanda e continuou:

— Amanda, ontem eu tive uma experiência parecida com a sua. E finalmente entendi uma frase de Rubem Alves, que disse que o espiritual é um espaço dentro do corpo onde o que não existe existe.

Mike concordou com a cabeça.

Depois de refletir sobre as palavras de Mike e Alberto, Amanda falou:

— Sempre tive um pouco de inveja dos meus pacientes que acreditam em Deus, especialmente quando estão internados. Acho que entendi um pouco melhor como é me sentir ligada a algo maior.

— O texto que passei ontem pra vocês falou sobre a autoestima como um diamante a ser lapidado, certo? — disse Mike. — Chegou a hora do polimento. Amanda, você pode vir aqui para o centro comigo?

Aquele convite a pegou de surpresa, e ela ficou curiosa sobre o que aconteceria.

— Claro — disse ela, enquanto Mike posicionava as cadeiras.

— Eu vou fazer essa pequena prática com você, mas na verdade todos podem fazer. Nós vamos juntos buscar esse lugar dentro do corpo onde o que não existe existe. — Mike reparou no sorriso de canto de boca em Alberto. — Estão prontos?

Todos acenaram que sim. Frente a frente com Amanda, Mike começou a falar com a voz um pouco mais lenta do que a habitual:

— A primeira coisa é não prestar atenção em nada em particular. Não há nada a fazer, nenhum problema a resolver. É como tirar férias da mente por alguns minutos... Vamos lá: relaxe sua atenção.

Nada a fazer, férias da mente, relaxar a atenção... Algo se abriu dentro dela.

— Relaxe sua atenção e seja o espaço — disse ele.

Que coisa diferente, percebeu ela, fechando os olhos.

— Relaxe sua atenção... Seja o espaço e perceba seu corpo — continuou Mike, falando cada vez mais devagar e baixinho. — Relaxe sua atenção... Seja o espaço e perceba seu corpo ao mesmo tempo.

Amanda nunca tinha sentido nada parecido. Era algo leve e denso, difícil de explicar.

— Relaxe sua atenção... Seja o espaço e perceba seu corpo ao mesmo tempo, com o sutil prazer de ser.

O silêncio na pequena pausa de Mike foi quebrado por alguns suspiros profundos.

— Relaxe sua atenção... Seja o espaço e perceba seu corpo ao mesmo tempo, com o sutil prazer de ser consciência.

Assim que ouviu a palavra "consciência", Amanda entrou numa espécie de meditação profunda. Era um espaço sem limites, puro, absoluto. Até o tempo se dissolveu. Mike prosseguiu:

— Esse espaço amplo, fluido e aberto é a consciência... o oceano da consciência, que sabe ao natural, sem esforço.

A paz e a calma tomaram conta de Amanda. Era algo semelhante ao dia anterior, no mosteiro. Um espaço em que ela enxergava a si mesma, acima dos seus pensamentos e sentimentos, mas que ao mesmo tempo os englobava. De repente, veio a imagem do iceberg e do mergulho no oceano, mas era diferente. Era como se ela não fosse mais o iceberg. O iceberg era seu ego, seus dramas, suas dores, suas carências, mas ela, a Amanda de verdade, era algo além.

— Relaxe sua atenção, seja o espaço e perceba seu corpo ao mesmo tempo, com o sutil prazer de ser consciência a partir do coração.

Seu peito se abriu, sentindo-se ainda mais expandida.

— Nesse espaço de consciência com o coração, você é amor puro, o amor incondicional.

Uau, eu sou amor, puro amor, sentiu Amanda.

— Esse amor que brota e exala a partir de você... também se volta e retorna pra você.

Sentindo-se imersa nesse amor, seus braços lentamente começaram a se levantar.

— Esse é o amor-próprio. Observe como é dizer "eu me amo" a partir desse espaço.

Amanda respirou profundamente e abriu os braços. O tempo não existia mais, ela era o mais puro amor. "Eu me amo" ecoava nesse espaço sem atrito ou julgamento.

— Deixem essa consciência do amor se expandir por mais alguns instantes, simplesmente observando o que acontece.

Em um estalo, ela percebeu que não faltava nada. Que não havia carência. Seus braços foram se cruzando até as mãos tocarem seus ombros enquanto voltava no tempo e enxergava a partir dos olhos da sua menina. Percebeu que sua consciência sempre fora a mesma. Todo o resto mudou — corpo, conhecimentos, experiências —, mas a essência, seu ser absoluto sempre esteve intacto. Foi uma revelação. Lentamente abriu os olhos e viu Mike em sua frente. Reconheceu nele a pureza que havia encontrado em si.

— O que você descobriu, Amanda?

— Descobri que não falta nada... Eu sou plena — disse, surpresa com sua própria resposta. Com os olhos brilhando, abriu um sorriso e disse: — Eu não sou o iceberg. Eu sou o oceano! Eu sou.

Todos concordaram com os rostos iluminados.

— Bem-vindos à consciência e ao coração — disse Mike, com a voz embargada, enquanto cruzava o olhar com cada um. — Que linda maneira de finalizarmos nosso encontro.

Então, levantou as duas mãos e, pela última vez, conduziu como um maestro:

— Aaaaaaaah — fizeram todos juntos.

Ao brotarem as lágrimas dos olhos de Mike, todos o envolveram em um abraço, um longo e amoroso abraço.

O almoço de domingo estava marcado para as treze horas; portanto, ainda tinham uma hora para arrumar suas coisas. Era o fim daquela viagem, mas Amanda sentia que sua jornada havia apenas começado.

Como desceu um pouco antes da hora, foi direto para a cozinha. Emily estava inspiradíssima quando preparou o almoço de despedida, pois o cheiro da comida era irresistível. Emily estava no fogão fazendo algo parecido com um molho. Ao ser questionada sobre o que preparava, ela ficou feliz em dizer que se chamava *Sunday roast*. Quando Amanda apontou para o molho, a cozinheira disse *gravy*. Em um forno, havia duas travessas, uma com dois grandes pedaços de carne assada e outra com vegetais. Em outro forno, viam-se bolinhos, mas Emily não explicou o que era. Mike chegou logo depois.

— A Emily não brinca em serviço — comentou Amanda, ao vê-lo.

— Sem querer discordar de você, eu acho que o que ela faz é justamente brincar em serviço. Olha a cara de felicidade dela. Parece uma criança com um monte de pecinhas de Lego em volta. Vou contar um segredo: é por causa dela que nunca pensei em mudar o lugar do seminário — disse ele, piscando o olho.

Mike pediu para Emily servir. Já que estava ali, Amanda, se ofereceu para ajudá-la a levar os pratos, que eram bem pesados. Emily tirou o prato da carne assada do forno e passou duas luvas de amianto para ela. Quando chegou com a carne dourada à sala de jantar, bradou:

— Com vocês, o mundialmente famoso *Sunday roast* da Emily.

Emily chegou sorridente logo atrás, com os vegetais e o *gravy*. Assim que os deixou na mesa, ela saiu rápido e voltou com os bolinhos.

— Ah, *Yorkshire puddings*! — gritou Mike. — Essa comida equivale ao churrasco de domingo no Brasil. *Enjoy*!

Fernando assumiu o corte da carne e Tânia serviu os acompanhamentos.

— Gente, que maravilha de cheirinho tem esse molho! — disse Tânia, ao colocar o *gravy* sobre as fatias do rosbife rosado.

Ao contrário do primeiro jantar, estavam todos soltos, com sorrisos gratuitos e espontâneos. Pareciam uma família feliz que não se reunia havia meses. Alberto serviu as bebidas: cerveja *ale* para Mike, Fernando e Tânia e um *bordeaux* para Amanda, Carol, Paula e para si mesmo. Mike puxou o brinde.

— Parabéns a todos por terem completado o seminário! Desejo a vocês uma vida plena, com autoestima boa e forte! Saúde!

— Saúde! — responderam, brindando.

— Viva o Mike! — gritou Fernando.

— Vivaaa! — gritaram, em coro.

Os voos saíam em horários próximos, e Mike chamou John para levá-los ao aeroporto. Amanda pediu para David ajudá-la com sua mala. Reparou que era a primeira vez que viajava sem ter comprado nada. Assim que ela chegou ao saguão do pequeno castelo, viu que Mike havia disposto os celulares, tablets e notebooks em uma mesa. Amanda foi primeiro à cozinha se despedir de Emily. Deu-lhe mais um abraço e recebeu um afetuoso sorriso de adeus. Voltando ao saguão, viu pela porta que a van já estava lá.

Amanda aproximou-se de Mike e simplesmente o abraçou. Dessa vez, permitiu que o abraço durasse o tempo que era para durar. Somente quando seu coração estava satisfeito, afastou-se lentamente e o olhou fundo nos olhos.

— Obrigada.

Mike sorriu e acenou com a cabeça.

Pegou suas maquininhas e foi para a van. Só as ligou quando chegou em casa. Resolveu aproveitar totalmente o bem-estar que levava no corpo, onde o que não existe existe.

nove meses mais tarde

Querido Mike,

Senti vontade de escrever para você, contar um pouco da minha vida e saber como você está.

Não devo ser a primeira a lhe dizer que há um período de adaptação depois do seminário. Quando cheguei de volta, eu me senti muito diferente do que era, mas o que mais me impressionou foi como as pessoas se espantaram com isso e, sutilmente, cobravam que eu retomasse o padrão anterior. Cedi uma vez ou outra, não vou negar, e isso me fez seguir suas recomendações. O Cíngulo me ajudou muito nesse período inicial, até eu encontrar um terapeuta.

Resolvi procurar alguém nos sites que você indicou, mas uma amiga insistiu para que eu experimentasse fazer uma sessão com a psicóloga dela. Tivemos uma afinidade forte e imediata. Contei sobre o seminário, e é possível que ela mesma vá no ano que vem para a Escócia! Ela não conhecia essas técnicas de processamento, e uma vez mostrei o PREP e o "Janelas da Alma" para ela. Ela resolveu experimentar e ficou impressionada. Por sorte, uma formação para terapeutas estava se iniciando e, bem, agora faço processamento com ela!

Quanto à vida afetiva, procurei o Carlos quando voltei. Não veio mágoa alguma, acredita? Realmente passei por um "detox emocional" com você na Escócia. Ele ficou perplexo com o que contei sobre mim e sobre como o enxergava depois do seminário. Ele se abriu de uma forma que também me surpreendeu. Realmente comecei a entender a história dele. Sugeri que fizesse terapia, mas ele ficou na dúvida... Pelo menos começou a acessar os sites que você nos passou, que têm ajudado. Ficou mais aberto e consciente de algumas coisas importantes. Depois de alguns encontros, começamos a namorar quando não havia mais dúvidas de que o amor que sentimos um pelo outro era verdadeiro e que superamos o passado. Na verdade, estamos muito mais íntimos e parceiros do que antes. Até motel passamos a frequentar! Há cinco meses voltamos a morar juntos. Quando finalmente convenci Carlos a fazer o seminário com você, tivemos de mudar de planos. Vai levar um tempo até ele poder conhecê-lo...

Ontem fiz o segundo ultrassom e estou com quinze semanas de gravidez! É um menino, e está tudo dentro do esperado, ufa! Estamos muito felizes! Já escolhemos o nome, mas ainda é segredo! Só posso dizer que começa com a letra M...

Um abraço carinhoso de quem lhe é muito grata pelo bem que você fez por minha vida e pela que está por chegar.

Amanda. Plena.

agradecimentos

TIVE O PRIVILÉGIO de contar com as minuciosas revisões e ótimas sugestões de Bernardo Bueno, Bernardo Arus e Rossana Caetano.

Agradeço também a Renata Sturm e Marina Castro da HarperCollins pelo preciso trabalho editorial, pela abertura e pelo carinho dedicado a esse projeto.

Em minha trajetória, tenho enorme gratidão por Maria da Paz, minha terapeuta por bons anos, e por Maria Regina Sana, que me ofereceu uma sessão de EMDR que mudou minha vida, tanto pelo bem que me proporcionou como pelo caminho que me abriu profissionalmente.

Sou muito grato a Paula Fernanda pela totalidade da sua influência positiva em minha vida e por ter me indicado o trabalho de Peter Levine.

Aprendi muito com Patrícia Jacob, a quem agradeço de coração por ter me cativado para o mundo do *Brainspotting* e para o trabalho de David Grand, um grande mestre nos processos de cura emocional. O convívio com ele em treinamentos e workshops tem sido um aprendizado inestimável, principalmente por sua generosidade e sua sabedoria.

Tem sido uma honra e um grande prazer treinar terapeutas na Abordagem Integrada da Mente, uma maneira *eísta* de incluir o melhor de diversas linhas de terapia nas sessões de imersão.

Muito obrigado a meus pacientes pela honra de conduzir milhares de sessões de processamento de memórias. Vocês têm sido meus maiores professores sobre a natureza do ser humano, suas histórias e sua incrível capacidade de superar dificuldades. Sua abertura e sua confiança me transformam.

Por fim, agradeço a você por ter lido este livro. Uma história só tem sentido quando é compartilhada.

Diogo Lara

Este livro foi impresso em 2022, pela Vozes,
para a HarperCollins Brasil.
A fonte usada no miolo é Goudy Old, corpo 11,5.
O papel do miolo é pólen natural 80g/m².